Titre original : *Ulysses Moore – I Guardiani di Pietra*
© 2006. Texte : Pierdomenico Baccalario.
Couverture, illustrations et graphisme : Iacopo Bruno.
Publié avec l'autorisation des Éditions Piemme,
Via G. del Carretto 10, 15033 Casale Monferrato, Italia.

© 2008, Bayard Éditions Jeunesse pour la traduction française.
3, rue Bayard, 75008 Paris.
ISBN 13 : 978-2-7470-2455-6
Dépôt légal : juin 2008

Ulysse Moore

– V –
Les gardiens de pierre

Traduit et adapté de l'italien par Marion Spengler

BAYARD JEUNESSE

Avis au lecteur

Juste après nous avoir fait parvenir la traduction du cinquième cahier d'Ulysse Moore, notre collaborateur, Pierre-Dominique Bachelard, a disparu. Son dernier e-mail était très étrange... Mais jugez-en plutôt par vous-même :

Voici le manuscrit que je viens de déchiffrer. Désormais, il ne me reste plus qu'un dernier cahier à traduire.

Je suis content, j'ai bien avancé dans mes recherches. Figurez-vous que j'ai rencontré quelqu'un qui va m'aider à rentrer dans le centre de Kilmore Cove. Je ne peux pas vous donner son nom, car je lui ai promis de ne pas révéler son identité. Je lui ai montré la malle qui m'avait été adressée au gîte de Cove Cottage. Nous l'avons refouillée de fond en comble et sommes tombés sur un vieux parchemin que je n'avais pas encore pris la peine de dérouler. Il s'agissait en fait d'une carte topographique des Cornouailles. Elle nous a permis de repérer un sentier qui semble être l'unique moyen praticable pour se rendre à Kilmore Cove.

Je vais essayer d'y aller demain.

Je suis impatient ! Dire que je suis sur le point de découvrir le secret d'Ulysse Moore !

Ne vous faites pas du souci pour moi. Je vous tiens au courant dès que possible.

Pierre-Dominique

Cela fait plus d'un mois que nous avons reçu ce message, et nous sommes inquiets...

Pierre-Dominique ne répond ni au téléphone ni à ses mails. Nous avons appelé les propriétaires du gîte où il loge, mais ils sont sans nouvelles de lui. Par ailleurs, l'agence auprès de laquelle il a loué sa voiture nous a signalé qu'il ne l'avait toujours pas rendue. Notre collaborateur s'est littéralement évaporé dans la nature.

Nous lançons donc un appel à toute personne qui l'apercevrait ou entendrait parler de lui. Merci d'avance pour votre aide et votre soutien !

Les Éditions Bayard Jeunesse

P.-S. : voici une photo de Pierre-Dominique pour ceux qui ne le connaissent pas.

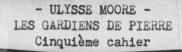

- ULYSSE MOORE -
LES GARDIENS DE PIERRE
Cinquième cahier

COWPER & ABEL.
ARTISANS PAPETIERS DE PÈRE EN FILS
20 SOUTHHAMPTON BUILDINGS
CHANCERY LANE LONDRES

Cahier :

CINQUIÈME

Titre :

LA BAIE AUX BALEINES

Impression :

PETER DEDALUS

Chapitre :

1

Cela faisait des années qu'on n'avait pas vu de cétacés dans les eaux de Kilmore Cove. La baie aux Baleines avait pourtant conservé son nom, en souvenir du passé... C'était une longue étendue de sable délimitée à l'ouest par le port, à l'est par l'imposante falaise de Salton Cliff. Là-haut, perchée sur son promontoire escarpé, la tourelle de la Villa Argo dominait le paysage, toutes fenêtres éteintes. À ses pieds, les vagues se jetaient avec fracas contre les rochers, projetant leur écume blanche.

C'était le soir. Comme tous les jours impairs en été, Gwendoline Mainoff, la coiffeuse du village, faisait son jogging sur la plage. La jeune femme était accaparée par ses pensées et abasourdie par la musique diffusée par ses vieux écouteurs. Le soleil était couché depuis une heure environ, et ce petit coin de Cornouailles était plongé dans le silence. Les premières lampes brillaient dans les maisons en pierre ; les rares réverbères qui jalonnaient la route côtière s'allumaient les uns après les autres. Les badauds attroupés devant l'unique hôtel du village étaient rentrés chez eux. À cette heure, ils ressassaient, déçus, les événements de la journée. Le bruit avait couru qu'Ulysse Moore, l'ancien propriétaire de la Villa Argo, était de retour au pays et logeait à l'auberge *Au Grand Large*, mais la rumeur n'était en fait pas fondée : on l'avait confondu avec le déménageur de M. et Mme Covenant, les nouveaux acquéreurs de la maison.

Concentrée sur sa respiration et sa foulée, la jolie brunette ne prêta pas tout de suite attention à la masse sombre échouée sur le sable. Elle passa devant sans même la remarquer.

Ce n'est qu'après avoir traversé toute la baie et fait demi-tour pour rentrer au village que Gwendoline repéra la curieuse forme. Elle s'arrêta net, fronça les sourcils et arracha son casque :

– Qu'est-ce que c'est que ça ? Ce n'est quand même pas un baleineau !

La jeune femme s'approcha. Elle chercha d'une main tremblante le bouton de son baladeur et coupa le son. Malgré sa bonne volonté, elle avait du mal à garder son sang-froid.

Là, devant elle, un homme était étendu, face contre terre, jambes et bras écartés. Une salopette en jeans élimée lui collait à la peau.

On aurait dit un cadavre rejeté par le ressac.

La coiffeuse posa son regard sur la mer, tentant d'y puiser un peu de courage. Mais l'océan n'était plus qu'une immensité grise gagnée par l'obscurité.

Tétanisée, Gwendoline hésitait à examiner le corps de plus près.

Soudain, le noyé toussa.

– Ouf ! Il est vivant ! s'exclama la jeune femme, soulagée, tout en triturant le fil de ses écouteurs.

Elle parcourut les quelques mètres qui la séparaient de l'inconnu.

Pris d'une nouvelle quinte de toux, l'homme agita bras et jambes, comme s'il cherchait à nager la brasse.

– Vous êtes blessé ? osa enfin lui demander Gwendoline, accroupie à ses côtés.

Il était trempé jusqu'aux os et affichait un teint bleuté. Malgré les algues empêtrées autour de ses chevilles, ses pieds continuaient de battre mécaniquement.

– Monsieur, monsieur ! Tout va bien ?

L'homme se redressa tant bien que mal sur ses genoux, cracha ses poumons puis s'immobilisa, les yeux fermés. Gwendoline avait le sentiment de l'avoir déjà vu. Une immense cicatrice lui barrait le cou.

– Je peux vous aider ? insista la jeune femme, en lui posant une main sur l'épaule.

L'homme dodelina de la tête :

– Hum, humm...

– Vous pouvez marcher ? Venez, laissez-vous faire !
Et la coiffeuse le tira par la manche.

Sans ouvrir les yeux, l'homme suivit docilement
les instructions de la jeune femme. Cinq minutes
plus tard, il se retrouva debout, appuyé sur elle.

– Allez, encore un petit effort ! C'est par là...,
l'encouragea Gwendoline, qui titubait sous le poids
de l'individu.

– Hum, humm..., répondit Manfred, tenant à
peine sur ses jambes.

Dans un semi-brouillard, il vit danser au loin les
lumières de Kilmore Cove puis se tourna pour tenter
d'identifier la personne venue lui porter secours.

Dès qu'il l'aperçut, il referma les paupières.

« Une sirène ! s'écria-t-il en son for intérieur. J'ai
été sauvé par une sirène ! »

Cahier :

CINQUIÈME

Titre :

MAUVAISES
RENCONTRES

2

*J*ason attendit que la voiture de son père ait disparu au coin de la rue avant de se retourner vers sa sœur :

– J'y vais. Je compte sur toi pour me couvrir...

– Ça ne va pas ! protesta sa jumelle. Tu es complètement dingue !

Le garçon lança des regards inquiets à la dérobée :

– Je me dépêche. Je serai de retour dans un quart d'heure...

– Réfléchis, Jason ! Tu sais très bien que c'est impossible, le phare est loin d'ici. Tu vas mettre un temps fou à pied.

– Oui, mais je rentrerai à vélo. Je l'ai laissé là-bas. Écoute, je le récupère et je reviens tout de suite. Je dois absolument y aller maintenant.

– Tu peux très bien le faire après l'école !

Jason secoua énergiquement la tête, et deux minuscules plumes blanches s'échappèrent de ses cheveux blonds. Elles avaient résisté à la toilette que sa mère lui avait fait subir la veille au soir, à son retour de Venise. Le garçon avait encore les yeux rougis et gonflés, suite à l'incendie de la maison de Peter Dedalus sur l'île aux Masques, auquel il avait réchappé de justesse.

Julia tenta une dernière fois de raisonner son frère.

Elle désigna le porche du collège de Kilmore Cove de l'autre côté de la place :

– Ça va bientôt sonner. Qu'est-ce que je vais raconter à Mlle Stella ?

– Tu n'as qu'à trouver une excuse ! répliqua Jason. Après tout ce qui nous est arrivé, tu ne vas pas te laisser impressionner par un prof ! Je voudrais seulement...

– Qu'est-ce que tu mijotes encore ? insista Julia.

Elle connaissait son jumeau mieux que quiconque et savait qu'il avait une idée derrière la tête. Cette histoire de bicyclette n'était qu'un prétexte fallacieux pour retourner au phare, elle le pressentait. Jason détestait ce vélo fuchsia avec son guidon en forme de papillon et ses clochettes suspendues aux pédales. C'était un modèle pour femme, le vélo de la fille des Bowen qu'on lui avait prêté en dépannage.

Pourtant, Julia avait beau se creuser la tête, elle avait du mal à deviner la raison qui poussait son frère à s'obstiner.

Jason l'implorait du regard :

– S'il te plaît, Julia... Tu dois m'aider !

– OK, à condition que tu m'expliques pourquoi tu veux y retourner et pourquoi ça ne peut pas attendre la fin des cours !

Le jeune homme soupira bruyamment, avant d'admettre :

– Parce que, premièrement, papa nous attend à la sortie et nous remonte directement à la maison. Deuxièmement, les parents ne vont pas nous lâcher d'une semelle. Si l'on sort, il faudra se justifier. Tu vois un autre moyen de t'y prendre, toi, avec tout ce qu'on a à faire ?

Julia se mordit les lèvres. Depuis que Nestor leur avait décerné les titres de *Gardiens de la Porte du Temps* et de *Chevaliers de Kilmore Cove*, elle mesurait chaque jour davantage l'ampleur de leurs nouvelles responsabilités :

– C'est vrai que la présence de papa et maman ne nous facilite pas la tâche...

– Et tu oublies le déménageur qu'ils ont ramené avec eux !

– À mon avis, il vaut mieux éviter de rôder autour de la porte du petit salon en pierre pendant quelque temps.

– Ah, non, je ne suis pas d'accord ! protesta Jason. On ne peut pas se le permettre. Surtout, maintenant que Peter m'a dit que la Première Clef, celle qui ouvre toutes les portes du temps, se trouvait à la Villa Argo ! Et puis, je te signale qu'Olivia est elle aussi en train de la chercher.

– Mais, si on s'approche de la porte, maman va tout de suite le remarquer.

– Eh bien, on court le risque! Il faut qu'on s'active, Julia, et vite!

– Bon... Quel est ton plan?

– Voilà! Moi, je vais voir Léonard...

Jason extirpa de sa poche une vieille photo en noir et blanc à moitié calcinée et mit le doigt sur la silhouette du gardien du phare immortalisée aux côtés de Peter Dedalus.

– ... et je lui demande s'il est bien Ulysse Moore.

Julia, nerveuse, surveillait du coin de l'œil l'horloge au-dessus de la porte de l'école:

– Parce que tu crois qu'il va te répondre: «Eh oui, mon garçon, c'est moi, Ulysse Moore»? railla-t-elle.

Jason resta silencieux. Il revoyait le gardien du phare, la veille, à la barre du *Métis*, traversant la mer du temps avec lui. Il avait bravé le vent et la tempête, il avait guidé le navire comme un vrai capitaine.

– Un capitaine ne ment jamais à son équipage, affirma le garçon. Il ne dit pas forcément tout mais il ne raconte pas de balivernes...

Le regard de Jason se fit plus pressant, et Julia finit par céder:

– D'accord, tu fais sauter la première heure du cours de français... Mais tu reviens pour la deuxième, OK?

Son frère prit à peine le temps d'acquiescer, tourna les talons et décampa.

Dès qu'il eut disparu, Julia se prépara à affronter Mlle Stella. Au moment où elle gravissait les marches du perron, la cloche de l'école sonna.

Cartable au dos, Jason descendit au pas de course jusqu'à l'auberge *Au Grand Large*. Arrivé en bas du village, il se plaqua contre le mur latéral de l'hôtel de Kilmore Cove et pencha discrètement la tête. Une série d'étals de poisson étaient installés devant la façade défraîchie de l'établissement. Nulle trace de la voiture de son père dans les parages.

Rassuré, le jeune blond commença à longer la place William-V pour aller rejoindre la route côtière. Soudain, une irrésistible odeur de viennoiserie le freina.

Jason relativisa l'urgence de sa mission.

«Et si je me payais une brioche?» se dit-il.

Il fouilla ses poches nerveusement et exhiba, victorieux, une pièce argentée.

«Une livre sterling! Super!»

Il traversa la place du village à toute allure, bravant la peur d'être repéré par son père, et poussa la porte du magasin.

Il fut accueilli par un bouquet d'arômes : cela sentait la cannelle, la vanille, le caramel et le chocolat.

L'eau à la bouche, Jason s'approcha du comptoir et posa son sou sur le marbre. Les yeux rivés sur le tablier bleu de la commerçante, il demanda deux énormes *Bath Buns*, les brioches aux écorces confites et aux raisins qui faisaient la renommée de l'établissement.

– À emporter, s'il vous plaît... C'est pour ma sœur et moi, se justifia-t-il, sans oser croiser son regard.

En réalité, il n'avait nullement l'intention d'en garder une pour Julia.

– Attention, elles sont encore brûlantes, l'avertit la pâtissière.

– C'est parfait, au contraire.

Jason prit le paquet et rejoignit la sortie.

Soudain, il s'arrêta net, le souffle coupé. Là, dehors, à une dizaine de mètres, son père, accompagné d'un homme au visage vaguement familier, se dirigeait vers la pâtisserie.

La patronne venait de regagner l'arrière-boutique. En un éclair, Jason se faufila entre les tables du coin «Salon de thé» puis se glissa derrière un rideau écossais.

Quelques secondes plus tard, la porte d'entrée s'ouvrit et la voix de M. Covenant retentit dans le magasin.

Depuis sa cachette, Jason, immobile, entendit son père commander deux thés au lait et deux *scones*... «Avec de la crème et de la confiture de fraise, s'il vous plaît!»

– C'est très aimable à vous d'être venu réceptionner nos affaires, monsieur Homer..., poursuivit M. Covenant. Croyez-moi, je suis sincèrement désolé pour l'incident d'hier soir.

Ça y est! Jason se souvenait: c'était le gérant de l'entreprise de déménagement qui était venu superviser la dernière phase des opérations. Il écarta un pan du rideau: il l'avait effectivement aperçu hier, dans le jardin de la Villa Argo, à la tombée de la nuit.

– Et si nous étudiions le futur emplacement de vos meubles, monsieur Covenant? proposa M. Homer.

L'homme s'assit à une petite table, déplia les plans de la maison et les noircit d'annotations, en se lançant dans de grandes explications sur le cubage attendu et le volume des pièces. Tout en surveillant la scène du coin de l'œil, Jason entama sa brioche.

«Ils vont en avoir pour un moment», finit-il par comprendre. Je ne vais pas pouvoir sortir incognito. Il va falloir que je trouve une autre issue...»

Le garçon se retourna. Derrière lui partait un couloir sombre et poussiéreux; on avait l'impression qu'un glaçage s'était déposé au fil du temps sur ses parois poisseuses. Le sol était recouvert du même parquet sombre que le salon de thé.

Le corridor comportait deux portes. La première conduisait à des WC. La petite pièce couleur miel était dotée d'une lucarne qui donnait sur la cour intérieure de l'établissement.

La seconde était fermée.

Jason tenta de l'ouvrir, mais elle n'avait pas de poignée.

Il s'agenouilla pour l'examiner et sentit un courant d'air glacé lui souffler sur les chevilles.

– Non! Ce n'est pas vrai! murmura-t-il incrédule, en fourrant le reste de sa brioche dans le sachet.

Le battant en bois qu'il avait sous les yeux était en tout point identique à celui qui était caché derrière l'armoire de la Villa Argo... et à la porte de la cave de Mme Biggles sous laquelle filtrait parfois un peu de sable du désert égyptien. Il ressemblait également à s'y méprendre à celui qui se trouvait dans le sous-sol de la Maison aux miroirs et qui reliait Kilmore Cove à la Venise du XVIIIᵉ siècle.

C'était une autre porte du temps.

Jason se releva subitement.

Il avait entendu une chaise racler sur le plancher du salon de thé. Son père était en train de dire à M. Homer :

– Je reviens tout de suite...

Jason se précipita dans les toilettes. Il eut tout juste le temps de verrouiller la porte que, déjà, son père frappait :

– C'est occupé ?

Le garçon eut un moment de panique avant de réagir. Pour seule réponse, il fit couler l'eau du robinet.

– Oh, pardon ! s'excusa aussitôt M. Covenant.

Il tenta d'ouvrir l'autre porte puis sifflota en attendant que les cabinets se libèrent.

De son côté, Jason transpirait à grosses gouttes. Il avala sa salive à plusieurs reprises et s'efforça de garder son sang-froid. Il analysa la situation et commença par éliminer successivement les solutions. Sortir des toilettes : il n'en était pas question... Cela ne lui laissait que deux possibilités : rester enfermé là à vie ou s'échapper par la lucarne.

Il choisit la deuxième option.

Jason maintint un filet d'eau pour masquer d'éventuels bruits suspects puis monta sur le lavabo. Il ouvrit la fenêtre et évalua sa dimension. De forme rectangulaire, elle lui laissait à peine la place de glisser la tête et son cartable.

Jason paria pourtant qu'il allait y arriver.

Pragmatique, il récupéra les lacets de ses chaussures, les noua entre eux, attacha une extrémité au loquet de la fenêtre et fit pendre l'autre dans le vide. Cette précaution lui permettrait de refermer la lucarne par la suite.

Il jeta dans l'ouverture son sac d'école, qui s'écrasa lourdement.

Il s'agrippa ensuite au rebord de la fenêtre, se hissa, passa ses mains puis sa tête dans le rectangle exigu et battit des pieds pour se donner de l'élan.

Il se retrouva très vite coincé, la tête écrasée contre l'épaule droite, l'épaule gauche immobilisée, le bras tendu dehors, et les jambes pendant au-dessus de la cuvette des WC.

Jason respira profondément et essaya de se calmer par tous les moyens. Mais il dut rapidement se rendre à l'évidence : il était bel et bien bloqué. Il imaginait déjà son père pénétrer dans les toilettes et le tirer par les pieds. Malgré son appréhension, ses nerfs lâchèrent : il ne put retenir son rire.

À sa grande surprise, en vidant sa cage thoracique, il parvint à bouger l'épaule puis le bras gauche. Il tâtonna à la recherche d'un point d'appui à l'extérieur. En vain. Il déplaça alors ses pieds le long du mur intérieur des toilettes.

Il commençait à désespérer, lorsqu'il sentit quelque chose sous sa chaussure.

C'était sa dernière chance. Il y appuya sa basket, vida ses poumons, rentra le ventre et s'extirpa de toutes ses forces de cette mauvaise posture.

M. Covenant écarta le rideau, en hélant la pâtissière :

– Excusez-moi, madame... Puis-je avoir la clef des toilettes, s'il vous plaît ? Je croyais qu'il y avait quelqu'un, mais la porte est tout simplement fermée...

– Bien sûr, monsieur...

La femme au tablier bleu sortit une clef en laiton d'un tiroir et la lui tendit :

– Tenez ! C'est bizarre : j'aurais juré l'avoir ouverte ce matin... Ne vous trompez pas de porte : c'est la première. La deuxième ne s'ouvre pas.

M. Covenant retourna dans le couloir et fit jouer la clef dans la serrure des cabinets. Au même moment, il entendit un objet métallique tomber de l'autre côté du battant.

– C'est libre ? s'assura-t-il une dernière fois, avant d'entrer précautionneusement.

Il n'y avait personne.

Il referma le robinet du lavabo et regarda autour de lui, perplexe : le rouleau de papier gisait par terre ainsi que son support, arraché du mur. Mais, fait encore plus étrange : un sachet en papier avait été abandonné. À l'intérieur, il restait une brioche à la crème et une autre à moitié entamée...

« Mince ! Les *Bath Buns* ! », s'écria Jason, dehors.

Il avait atterri dans une cour pavée carrée. Deux allées en pierres plus sombres la traversaient en diagonale et se croisaient en son centre, dessinant un grand « X ». À gauche de la lucarne des toilettes se trouvaient un escalier de service et l'entrée de plusieurs caves. Une plante grimpante poussait à un angle du mur ; des touffes d'herbes jaunies apparaissaient çà et là entre les pierres.

Jason longea prudemment le mur, à la recherche de son cartable.

– Ce n'est pas ce que tu cherches, par hasard ? l'interpella une voix.

En haut des marches, quelqu'un brandissait son sac. Il était impossible de distinguer son visage, masqué par l'ombre d'une arcade.

– Si, si, merci ! répondit Jason, pas très rassuré. Je peux le récupérer ?

– C'est ton cartable, n'est-ce pas ? insista l'inconnu.

Jason avait déjà entendu ce timbre, mais il n'arrivait pas à remettre un visage dessus.

– Hum, humm...

– Dis-moi, comment se fait-il que tu ne sois pas en cours ?

– Euh... En fait, ma... Ma classe est en sortie aujourd'hui... et... et je n'avais pas envie d'y aller.

– Ah oui ? Et où deviez-vous vous rendre ?

Jason se mordit les lèvres. Cet homme était décidément bien curieux.

– Puis-je reprendre mon sac ? répéta le garçon, agacé.

– Naturellement ! répondit l'inconnu en descendant.

« Non ! Ce n'est pas vrai ! » marmonna Jason.

Le proviseur s'avançait vers lui.

Cahier :

CINQUIÈME

Titre :

LE CASSE-TÊTE

Impression :

PETER DEDALUS

Chapitre :

3

*D*eux femmes se tenaient immobiles derrière les grandes baies vitrées de la Villa Argo. L'une, figée en statue, rapiéçait les mailles d'un filet de pêche. L'autre, qui était la propriétaire des lieux, avait l'air contrarié.

Rien n'allait comme prévu pour Mme Covenant. Elle avait pourtant fixé le programme de sa journée dès le départ de son mari et de ses enfants pour l'école et s'était déjà activée toute la matinée.

Elle avait aéré le rez-de-chaussée, fait les lits au premier étage, rangé le bureau de la tourelle, remis de l'ordre dans les carnets de voyage et les maquettes de bateaux. Avant de secouer les tapis et nettoyer les rideaux, elle avait décidé de se débarrasser des centaines de bibelots qui, à son goût, surchargeaient les pièces. La villa regorgeait en effet de masques africains, de statuettes d'animaux, d'antiquités égyptiennes, de vases aux formes étranges, de chandeliers, de boîtes anciennes...

Mais la mère des jumeaux s'était bien vite découragée : il était quasiment impossible de déplacer quoi que ce soit dans la maison. La disposition de chaque élément avait été pensée au détail près et répondait à un souci d'harmonie.

Soit il fallait tout enlever, soit il ne fallait rien modifier.

Mme Covenant devait néanmoins entreposer certaines choses au garage. Le camion de déménagement arrivait aujourd'hui avec leurs nombreux meubles londoniens.

« Vu la superficie, nous n'aurons que l'embarras du choix pour installer nos affaires, ma chérie », lui avait lancé son mari, naïf.

Dans les faits, ce n'était pas si simple.

Leur canapé en cuir noir, par exemple, où pouvaient-ils le mettre ? Au salon, à l'emplacement du jaune ? Mais ce dernier se mariait si bien avec les teintes du tableau. Et la belle aquarelle ? Pourquoi la décrocher ? Elle allait parfaitement avec le tapis... Et ainsi de suite... C'était un vrai casse-tête.

– Il va bien falloir que j'y arrive ! lâcha Mme Covenant.

Elle ouvrit une des portes-fenêtres de la véranda et respira à pleins poumons. L'espace d'un instant, l'air marin la calma.

Une mèche de cheveux rebelle lui chatouilla le nez. Elle la repoussa en soupirant et prit à partie la statue :

– À votre avis, comment faut-il que je m'y prenne ?

La femme au filet semblait sereine, détachée de ce genre de préoccupations bassement matérielles.

Soudain, des pas sur le gravier firent sursauter Mme Covenant. Elle tourna la tête.

– Bonjour, madame ! la salua Nestor, en traversant la cour.

– Bonjour, Nestor ! répondit Mme Covenant.

– Vous vous êtes lancée dans le grand nettoyage de printemps, à ce que je vois...

– Si l'on peut dire...

– Bien, bien..., marmonna le jardinier, pas très bavard.

Il alla s'adosser au tronc du sycomore.

Mme Covenant n'aimait pas son attitude. Elle se méfiait de lui, notamment depuis son retour de Londres, la veille au soir. Elle n'avait pas apprécié son air penaud et son bafouillage, lorsqu'elle l'avait croisé à la nuit tombante sur la route de la falaise. Elle s'était ensuite étranglée de colère, quand elle avait retrouvé ses enfants noirs de suie et empestant le poisson. Pour toute explication, Nestor avait évoqué « quelques petits contretemps ».

– Je voulais justement vous dire deux mots...

Nestor se mit sur la défensive :

– Je ne suis pas responsable de leurs bêtises... Je vous avais prévenue dès votre arrivée, madame : mon rôle n'est pas de surveiller vos enfants. En revanche, si vous avez des remarques à me faire concernant le jardin, je suis tout ouïe.

Mme Covenant sourit :

– Vous lisez dans mes pensées. Je n'ai qu'une question à vous poser : est-ce que Jason et Julia vous ont désobéi ?

– Non.

– Parfait.

– En revanche, je ne pourrais pas vous dire s'ils ont cassé quelque chose dans la maison, parce que je n'étais pas derrière eux en permanence.

– A priori, tout a l'air en ordre, Nestor. Mis à part la bibliothèque, la pièce de la tourelle et quelques bibelots.

– À leur âge, c'est normal de vouloir explorer les lieux.

– Connaissant mon fils, il a dû s'inventer un tas d'histoires avec les objets qu'il a dénichés. Admettons que c'est un vrai problème, ici...

– Quoi, donc ? Les histoires ?

– Non, les bibelots. Je voudrais faire du tri mais je ne sais pas par où commencer. Si je ne trouve pas une solution rapidement, les déménageurs vont être obligés de décharger nos affaires dans le jardin !

– Il y a bien un moyen radical : vous n'avez qu'à les vendre. Tenez, d'ici quelques jours, la municipalité organise un vide-grenier. Et, si vous ne savez vraiment pas quoi faire de vos fauteuils, sachez que j'en cherche un pour la dépendance...

Mme Covenant n'en revenait pas de tant d'impertinence.

– Je retiens l'idée du vide-grenier... Ce sera une excellente occasion de se débarrasser de toutes ces vieilleries qui envahissent la maison.

Sur ce, la nouvelle propriétaire s'excusa et referma la porte-fenêtre.

Nestor brossa nerveusement son pantalon en velours du revers de la main puis regagna clopin-clopant sa bicoque en bois.

Il traversa le patio, gravit les deux marches du perron, entra et se dirigea vers son secrétaire encombré d'objets hétéroclites. Il finit par dénicher le téléphone en bakélite noir et composa un numéro.

Léonard Minaxo décrocha au bout de la cinquième sonnerie.

– C'est moi! s'annonça Nestor.

– Hé, mon vieux! Qu'est-ce qui t'arrive? Tu ne m'appelles pas pendant des années, et, du jour au lendemain, tu ne peux plus te passer de moi!

– Elle veut enlever le mobilier.

– Attends, attends! Qui ça « elle »?

– Mme Covenant. Le gérant de l'entreprise de déménagement est déjà arrivé. Je lui ai versé une somme rondelette pour qu'il prenne du retard, mais, apparemment, ça n'a pas suffi.

– Quoi ? Tu l'as payé pour ça ?!

– Oui.

– Tu es dingue !

– Peu importe ! En tout cas, les Covenant attendent le camion cet après-midi.

– Et alors ?

– Il faudrait...

Le jardinier marqua une pause, avant de reprendre :

– Il faudrait mettre quelques obstacles sur sa route.

Léonard Minaxo railla :

– Si je comprends bien, tu es en train de me demander un service...

– Tout à fait.

– ... d'ami à ami ?

– N'exagère pas, Léonard, nous n'avons jamais été des ennemis jurés !

– C'est une question de point de vue.

– On en a discuté maintes fois. On ne joue pas avec la vie des autres, un point c'est tout.

– Tu ne vas pas recommencer, Nestor !

– ... et on leur porte secours quand ils sont attaqués par un requin.

– Je t'ai remercié comme il se doit.

– Je vais tout de même boiter jusqu'à la fin de mes jours.

– Arrête, Nestor ! Tu vas finir par me dissuader de t'aider.

– Tu serais donc prêt à le faire ?

– Ça dépend.

– De quoi ?

– J'aime bien les gamins, fit Léonard en changeant de sujet.

– On ne parlait pas d'eux.

– Pourtant, on devrait. Tu ne crois pas ?

– Il y a deux jours, tu m'as demandé de ne pas mêler les enfants à cette histoire. Tu m'as même traité de doux rêveur[1] !

– C'est vrai, Nestor. Seulement, tu as de la chance : les deux gosses sont débrouillards.

– Les trois. Tu oublies le petit Banner.

– Celui-là, je le connaissais déjà !

– À ta place, je ne m'en vanterais pas, Léonard.

---

1. *Cf.* tome IV, *L'île aux Masques.*

– Je ne vais pas non plus me culpabiliser. C'est la mer qui a tué son père. Je n'ai rien à voir là-dedans.

– Écoute, Minaxo. Nous n'avons pas les mêmes idées.

– Dire qu'on était sur le point de découvrir qui avait bâti les portes du temps ! On était si près du but...

– Je ne veux plus en discuter.

– On devait faire un dernier voyage.

– Le sujet est clos.

– Et Pénélope était d'accord avec moi !

– Stop ! hurla Nestor. Je ne veux plus rien savoir ! Maintenant, TU vas m'écouter ! Je voudrais arrêter ce camion avant qu'il ne soit trop tard. Je te demande trois choses : primo, peux-tu t'en charger ? Secundo, as-tu encore les clefs de l'entreprise CYCLOPS ? Tertio, te rappelles-tu l'endroit où nous avons caché la pelleteuse ?

– Oui, je m'en souviens.

– Ils arrivent de Londres. Il n'y a donc pas trente-six mille routes à barrer.

– OK, je m'occupe de ton fichu chargement, mais, je te préviens, ce soir, je viens te voir. Je veux qu'on prenne une décision au sujet des portes du temps.

– Entendu.

– Autre chose... Hier, à Venise, je suis retourné
Chez Zafon...

Nestor resta de marbre. Il finit par lâcher :

– Et ?

– Alors, il est toujours de ce monde. Il est ridé
comme une vieille pomme mais il m'a tout de suite
reconnu.

– Même avec ton bandeau ?

– Souviens-toi de l'*Iliade* et l'*Odyssée* : quand Ulysse
regagne son palais sous les traits d'un vieillard, son
pauvre chien, Argos, qui ne peut plus bouger, dresse
les oreilles et remue la queue.

– Qu'est-ce que tu veux encore me faire
comprendre ? Que seuls les vieux se reconnaissent ?

– Non, la morale de l'histoire est bien plus subtile.
Elle nous apprend qu'il faut un certain flair pour
savoir à qui l'on a affaire.

LE KENT
à l'arrivée des Saxons
Vème siècle après J.C

OCEANUS

GERMANICUS

BRITANNICUS

GRANDE-BRETAGNE
sous l'occupation romaine
avec l'implantation des tribus galliques
et celtiques, les provinces romaines,
les principales cités et voies romaines.

Milles romains
Milles anglais
ENVIRON 200 après J.C.

& Co. London, New York & Bombay.

Cahier :

CINQUIÈME

Titre :

DANS LE BUREAU
DU PROVISEUR

pression :   Chapitre :

ER DEDALUS   4

Peter Dedalus

Dans le bureau du proviseur, on n'entendait pas une mouche voler.

D'infimes particules de poussière tournoyaient dans l'air, éclairées par les rayons du soleil qui striaient le sol.

Ursus Marriet, les deux coudes campés sur le bois vermoulu de son bureau, triturait un crayon à papier à la mine aussi effilée qu'une aiguille. Dans son dos, un vieux ventilateur rouillé, posé en équilibre sur la corniche d'une armoire, menaçait de lui tomber sur la tête à chaque instant.

Jason et Julia se tenaient assis devant lui, le dos droit, les mains sur les genoux et les yeux rivés sur la pointe de leurs souliers. Ils essayaient de ne pas bouger pour éviter de faire gémir leurs chaises en bois spartiates.

Le proviseur desserra son nœud papillon et poussa un profond soupir :

– Donc, Julia, peux-tu me répéter ta version des faits ?

La jumelle continuait de fixer le parquet, l'air penaud :

– Je suis sincèrement désolée, monsieur le proviseur.

– Bien, récapitulons... Si j'ai bien compris, tu as raconté à Mlle Stella que Jason ne pouvait pas assister à la première heure de français ce matin, car il devait aider votre mère, qui a la jambe plâtrée, à s'habiller.

Jason regarda sa sœur, bouche bée.

Le directeur ouvrit leur carnet de correspondance.

– Intéressant, n'est-ce pas ? Ce qui est curieux, c'est qu'au même moment Jason manquait de se rompre le cou, en sautant de la lucarne des toilettes de la pâtisserie Chubber.

Cette fois, ce fut Julia qui sembla estomaquée.

– Jason ! siffla-t-elle entre ses dents.

La main droite de M. Marriet effleura le téléphone, tandis que son index gauche se plaça sous le numéro inscrit sur la page de garde du carnet :

– J'ai très envie de prendre directement des nouvelles de votre mère...

– Non ! S'il vous plaît, je vous en prie ! s'exclama Julia, terrorisée à cette seule pensée. J'ai menti.

Les longs doigts maigres du directeur restèrent suspendus au-dessus du combiné.

– Mais encore ?

Jason vint à la rescousse de sa sœur :

– Attendez, tout est de ma faute...

– Vraiment ? releva le proviseur. Dois-je comprendre que tu es disposé à me faire des aveux détaillés ?

Jason haussa les épaules :

– Si c'est ce que vous souhaitez... Voilà, je voulais aller récupérer ma bicyclette au phare avant le début des cours.

– Au phare ? Qu'est-ce qu'elle fait là-bas ?

– Ce n'est pas la mienne. C'est celle de la fille du Dr Bowen. Son père me l'a prêtée après mon accident, devant son portail... Enfin, peu importe, mon vélo est chez Léonard Minaxo, parce que je l'ai laissé sur la presqu'île au moment de partir en calèche avec lui au parc aux Tortues. On voulait tendre un piège à deux voleurs qui tentaient de cambrioler la Villa Argo.

Son interlocuteur se borna à soulever un sourcil.

– Et vous y êtes parvenus ?

– Oui, heureusement ! sourit Jason.

– Évidemment, je suppose que tes parents ne sont pas au courant...

– Oh, non ! Ils pensent que nous sommes allés nettoyer la cave du Dr Bowen.

Ce n'est qu'à ce moment-là que Jason se rendit compte que sa sœur était blanche comme un linge.

– Dis-moi..., fit le chef d'établissement. Tu n'exagérerais pas un peu ?

– Absolument pas! répliqua Jason. Vous m'avez demandé de raconter la vérité : la voilà!

– Écoute-moi bien, mon garçon...

La voix grave de M. Marriet se fit menaçante. Il pointait désormais la mine de son crayon sous le nez de Jason.

– ... je ne sais pas quel était le règlement dans ton collège à Londres, mais sache qu'ici il y a des principes auxquels on ne déroge pas : on ne se moque pas du proviseur!

– Je suis très sérieux, monsieur! Je me rendais au phare, comme je vous l'ai expliqué. Seulement, quand j'ai senti l'odeur des brioches, je n'ai pas pu résister...

– Et ensuite?

– J'ai vu mon père se diriger vers la pâtisserie. Comme je ne voulais pas qu'il me découvre, j'ai choisi de... euh... passer par l'arrière-cour.

– Pourquoi cherchais-tu à te cacher?

– Parce qu'il me croyait... à l'école, avoua péniblement Jason.

Le ton du directeur monta encore d'un cran :

– Donc, si nous résumons, nous avons une élève qui ment à son professeur de manière éhontée, son jumeau qui fait l'école buissonnière pour aller traîner au phare...

– Je n'allais pas traîner, je vous assure !

– Videz-moi vos poches, tous les deux ! ordonna M. Marriet. Je vous conseille de vous dépêcher, si vous ne voulez pas que j'appelle vos parents !

Les jumeaux s'exécutèrent et déposèrent en vrac sur le bureau des élastiques, des pièces de monnaie, une moitié de photo calcinée, des bouts de chandelle, quatre vieilles clefs et un pendentif égyptien.

– C'est un porte-bonheur que m'a offert une amie, fit Jason en réponse à la mine étonnée du directeur.

– Parfait ! Je confisque le tout, conclut M. Marriet.

Et il fit glisser les objets dans une boîte en fer qu'il enferma dans son tiroir.

– Mais ce n'est pas juste ! protesta Julia. Laissez-nous au moins les clefs de la maison !

Les quatre clefs de la Porte du Temps réapparurent l'espace d'un instant.

– Tu veux parler de celles-ci ?

Julia acquiesça.

Le proviseur tira le téléphone à lui :

– Je vérifie ça auprès de votre mère et je vous les rends tout de suite...

Le silence des deux enfants était éloquent. Le directeur les remit donc dans la boîte, d'un air sadique.

– Allez, oust! En cours! Je vous préviens : cette fois, il n'y aura pas d'excuse.

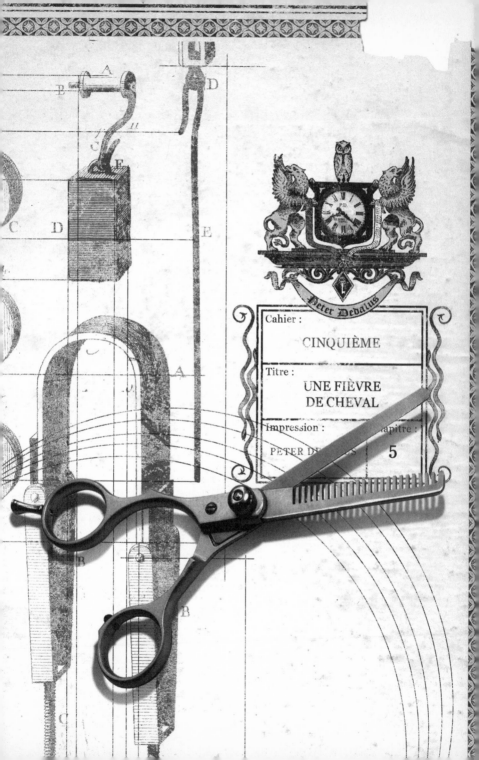

Cahier :

CINQUIÈME

Titre :

UNE FIÈVRE
DE CHEVAL

Impression :   Chapitre :

PETER DEDALUS   5

Peter Dedalus

Manfred se redressa d'un bond en hurlant. Il était assis sur un canapé dans l'obscurité la plus totale.

– Le cheval ! répéta-t-il.

Des gouttes de sueur perlaient sur son front brûlant.

Il scruta la pièce et tenta de distinguer quelque chose, mais aucune lumière ne filtrait sous la porte.

Il tâta ses vêtements : il portait un pyjama propre en soie.

– Qu'est-ce qui m'arrive ? Où suis-je ?... Olivia ?

Quelqu'un se tenait à son chevet. Ce n'était pas sa patronne. Sa voix était plus suave, ses mains plus douces, ses ongles moins acérés.

– Chuuut ! Tout va bien... Vous devez vous reposer, vous avez beaucoup de fièvre.

Manfred voulut lui répondre, mais aucun son ne sortit de sa bouche. Subitement, une serviette mouillée se plaqua sur son front, et il renonça du même coup à se lever.

– Voilà ! C'est ça !... On va faire chuter cette vilaine fièvre...

Incapable de lutter davantage, Manfred bascula en arrière et reposa sa nuque sur l'accoudoir du divan.

–Je suis... tom...bé, articula-t-il, comme s'il cherchait à se justifier.

–Oui, oui, je sais, lui répliqua sa bienfaitrice. Mais, heureusement, vous avez réussi à regagner la plage.

–Deux... fois, précisa Manfred avant de replonger dans un demi-sommeil.

Gwendoline se leva et, telle une infirmière de la Croix-Rouge, observa le rescapé. Mis à part cette vieille salopette élimée, elle le trouvait plutôt séduisant avec sa barbe naissante, sa mystérieuse cicatrice dans le cou et ses traits ainsi détendus.

Elle se souvint de l'endroit où elle l'avait déjà croisé. C'était chez Olivia Newton, au domaine du Paradis rose. Elle l'avait revu la veille, vers dix-neuf heures, à l'auberge *Au Grand Large*. Il cherchait lui aussi à vérifier l'identité du client qui avait retenu la chambre du premier au nom de «l'ancien propriétaire de la Villa Argo».

«Bel homme!», pensa la coiffeuse.

Certes, ce n'était pas le genre de ses parents mais il avait un charme particulier, un petit côté baroudeur peut-être... C'était tout à fait le type d'homme venu d'on ne sait où et capable d'enflammer le cœur d'une fille comme elle, en quête d'aventure...

– Parfait, dormez, ça vous fera le plus grand bien, chuchota-t-elle en lui caressant les cheveux. Vous allez rester là encore quelques heures, car Mlle Newton n'est pas chez elle. Vous savez où on peut la trouver ?

– Non... Olivia... est... par...tie, fit Manfred somnolent.

– Où ?

– À Ven...ise.

– À Venise ?

– Le... lion... la... porte... Miroirs... Miroirs...

– Vous voulez un miroir ?

– Mille sept cents...

Manfred semblait avoir des hallucinations sous l'emprise de la fièvre :

– Mille sept cents... l'attendais... ma... moto... aux miroirs... crevés... vauriens... après l'Égypte... carte...

Gwendoline l'écouta quelques instants. Ne comprenant pas un traître mot de ce qu'il racontait, elle finit par sortir.

Elle alla dans la cuisine, appela le « Paradis rose » et laissa un énième message sur le répondeur.

Frustrée de ne pas réussir à joindre Olivia Newton, elle composa le numéro de sa mère :

– Allô, maman ? Tu ne devineras jamais ce qui m'est arrivé ! Un truc incroyable !... C'est un homme, effectivement ! Mais comment as-tu deviné ?...

Comment ça « enfin » ?... Non, non, ce n'est pas ce que tu crois !... Non, tu ne peux pas venir le voir. Il dort, ou plutôt il délire. Il a une fièvre de cheval. Il m'a affirmé qu'il s'était jeté du haut de la falaise pour éviter une calèche. C'est peut-être un type qui a perdu au jeu... au poker, que sais-je ? Quoi qu'il en soit, il a nagé jusqu'au rivage, et je l'ai découvert en faisant mon jogging... Hum, humm... Il a l'air mystérieux... Hein ? Mais non, je ne l'ai pas fait rentrer trempé dans la maison. Je lui ai mis le pyjama d'Alphonse. Il n'avait qu'à pas me plaquer la veille de mon anniversaire ! Le pyjama lui va comme un gant. C'est un signe du destin, j'en suis sûre... Aucune idée. Pour l'instant, je l'ai surnommé *le Balafré*.

Dans la pièce adjacente, Manfred délirait et parlait de plus en plus fort.

– Tu l'entends ? Il déraille. Oui, oui, je lui ai mis une poche de glace, mais ça n'a pas fait d'effet. Ce qu'il dit n'a ni queue ni tête. C'est incompréhensible. Il parle de lion, puis de moto, de Venise... Ça doit être un routard...

La jeune fille couvrit le combiné de sa main. Désormais, Manfred hurlait.

– Excuse-moi, maman. On dirait qu'il en veut à un jardinier et à des gamins. Je te rappelle plus tard. À tout à l'heure !

Gwendoline retourna au salon. Manfred, très agité, s'agrippait au drap avec lequel elle l'avait bordé. Son discours devenait plus intelligible :

– La Porte du Temps... à la villa ! Je veux la voir !... Mais, il y a les gamins... les gamins... il faut arrêter ces garnements... il faut les en empêcher !

La coiffeuse tendit l'oreille :

– Hé, qu'est-ce qui vous arrive ?

– Bloquer... verrouiller... stopper... Fermer la Porte du Temps ! À la maison ! Tous à la maison !

Au même moment, la sonnerie du téléphone retentit.

La jolie brunette courut répondre :

– Gwendoline Mainoff, coiffeuse visagiste, bonjour ! Désolée, mais, aujourd'hui, le salon est fermé. Je coiffe uniquement à domicile.

Elle resta suspendue au bout du fil quelques secondes avant d'exploser :

– Maman ! Combien de fois faudra-t-il te répéter de ne pas m'appeler sur ma ligne professionnelle ?!... Non, son état n'a pas empiré. Au contraire, il a dit des choses intéressantes. Il a fait allusion à des enfants qui ont bloqué des portes du temps... Oui, des portes du temps...

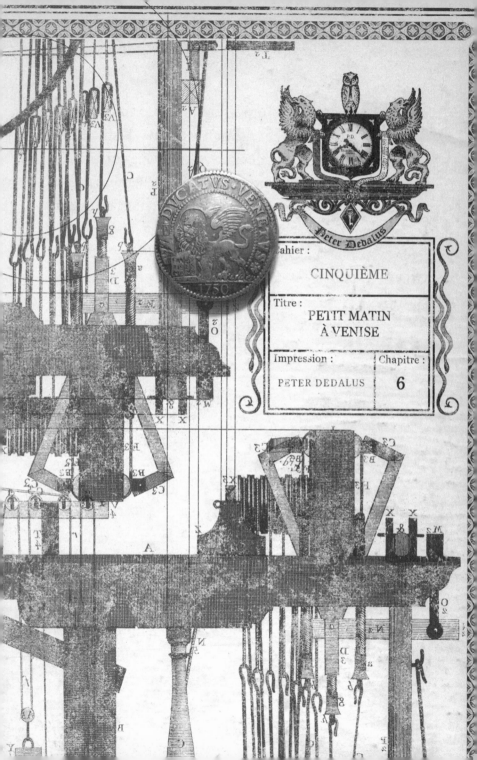

Cahier :

CINQUIÈME

Titre :

PETIT MATIN
À VENISE

Impression :	Chapitre :
PETER DEDALUS	**6**

L'aube violine pointait sous le manteau de brume qui enveloppait la lagune. Venise émergeait en douceur de sa torpeur nocturne...

Un rai de lumière pénétra dans une petite pièce du Vieux Ghetto et surprit deux silhouettes en pleine conversation sur le seuil d'une porte ancienne.

– Tu n'as pas compris, Olivia, fit Peter Dedalus, la main sur le battant. Seul l'un d'entre nous peut entrer.

– Comment ça ? Tu es passé par là pour venir à Venise et tu n'es pas retourné à Kilmore Cove depuis. Tu peux donc...

Peter Dedalus recula et s'écarta de la trajectoire du rayon :

– Tu oublies un détail non négligeable, ma chère. Tu as réussi à ouvrir la porte de la Maison aux miroirs. Cela signifie qu'une personne l'a forcément franchie avant toi en sens inverse.

– Mais tu n'as pas bougé d'ici, Peter ! Attends, tu veux dire que...

– ... quelqu'un à Venise a voyagé à ma place.

Olivia éclata d'un rire moqueur :

– Quoi ? Tu insinues qu'un Vénitien du XVIIIe siècle se balade en ce moment à Kilmore Cove ?!

Ce fut au tour de Peter de faire son petit effet :

— Deux, pour être plus précis.

— Je ne comprends pas...

— Pénélope, la femme d'Ulysse Moore, était originaire de la cité des doges... et elle est née au XVIIIe siècle.

— Par conséquent... voyons...

Olivia réfléchissait tout haut. Elle tentait de récapituler les différentes allées et venues.

— Quelqu'un a accepté de la remplacer à Venise, conclut Peter.

— Sais-tu de qui il s'agit?

— Je n'en ai aucune idée, admit l'horloger.

Il farfouilla sous son manteau et en sortit un sequin [1]. Il le brandit sous le nez d'Olivia. «1750», pouvait-on lire dessus.

— Écoute, je te propose un petit jeu...

— Avec joie! Tu sais que j'adore jouer, mon chéri.

— Allons d'abord boire un café...

La cité s'activait déjà. Les magasins de vin [2] avaient sorti leurs tonneaux, les marchands d'étoffes déroulé

---

1. Nom donné au ducat d'or vénitien.

2. Lieux de rendez-vous et de jeux très importants à l'époque, caractérisés par un amoncellement de tonneaux au milieu desquels émergeait le comptoir. Certains se transformèrent par la suite en «boutiques de café».

leurs marchandises. On déchargeait des barques des paniers de légumes frais destinés au marché du Rialto ; les vendeurs ambulants allaient de maison en maison.

Olivia et Peter prirent place dans une boutique de café, rue de la Carità. Ils commandèrent un café noir fumant et se réchauffèrent les mains autour de leur tasse.

Ils portaient tous les deux de longs manteaux usés qui cachaient des tenues pour le moins déconcertantes : un pantalon de futaine[1] noir de suie pour lui et une combinaison de motard en cuir pour elle.

Olivia reformula la question pour la énième fois :

– Pourquoi toute cette mise en scène, Peter ?

Elle posa sa tasse sur le tonneau qui leur servait de table :

– Et surtout, pourquoi m'avoir attendue ?

Peter ne répondit pas. Il était en train de changer les verres de ses lunettes. Ils s'étaient brisés, la veille, lors de l'incendie qui avait ravagé sa maisonnette sur l'île aux Masques.

Olivia patienta quelques instants puis le regarda avec insistance.

---

1. Étoffe pelucheuse composée de coton et de fil utilisée habituellement pour confectionner jupons et doublures.

– Je ne t'ai pas attendue, Olivia, expliqua enfin Peter. On est simplement arrivés en même temps.

– Tu pouvais très bien ouvrir la Porte du Temps et me laisser là, prisonnière à jamais, s'entêta Olivia. Tu aurais eu tout le loisir d'aller avertir tes petits copains : « Olivia est au courant pour la Première Clef ! J'ai cédé, je lui ai révélé le dernier secret ! Je lui ai même dit que Black Volcano a emporté toutes les clefs ! » Rien ne t'empêchait de le faire !

Peter hocha la tête :

– C'est vrai, j'en avais la possibilité.

– Mais ?

L'horloger soupira :

– Je n'en ai pas eu le courage...

– Et ce petit jeu, Peter, en quoi consiste-t-il au juste ? le coupa Olivia.

– Voilà... Tu veux rentrer à Kilmore Cove pour rechercher la Première Clef et toutes celles que Black Volcano a mises en sécurité ?

– Exactement.

– Seulement, c'est impossible.

– Sois plus précis !

– Black Volcano s'est montré prudent, il n'a pas caché les clefs à Kilmore Cove. Il les a emportées loin, très loin, car il se méfiait des gens de ton espèce.

Il a franchi une des portes du village et est resté de l'autre côté.

Olivia se mordit les lèvres :

– Si je comprends bien, la porte qu'il a ouverte...

– est provisoirement bloquée... tant que personne ne repasse dans l'autre sens.

– Je suis pressée, Peter. Venons-en au fait !

– Il n'y a qu'un seul moyen de suivre Black Volcano.

– Tu le connais ?

– Hum, humm...

– Tu es prêt à me le révéler ?

– Peut-être bien..., fit Peter en exhibant la pièce d'or. Mais, moi aussi, j'aimerais bien retourner à Kilmore Cove. J'ai besoin de savoir au moins une chose.

– Laisse-moi deviner : qui a franchi le seuil à ta place... et t'a refermé la porte au nez !

– Tout à fait ! Disons que nous avons tous les deux un excellent motif pour rentrer mais que nous ne disposons que d'un unique billet.

– Que proposes-tu ?

– Tirons au sort ! Pile ou face...

Olivia fixa le ducat rutilant posé sur le baril :

– Si j'accepte de jouer, tu m'expliqueras comment

retrouver la trace de Black, que je sois gagnante ou perdante?

– Promis.

– Et si je refuse?

– Tu es libre de rentrer à Kilmore Cove tout de suite. Seulement, tu ne sauras pas comment rejoindre Black.

– Quel est ton intérêt dans l'affaire?

– Je me sentirais soulagé d'un poids. Et puis, ça me donne une chance sur deux de revoir mon village.

Olivia saisit la pièce, la soupesa et la fit transiter d'une main à l'autre :

– C'est bon, je veux bien jouer.

Peter remonta ses lunettes rafistolées sur son nez et se leva :

– Alors, suis-moi!

– Où ça?

– Sur ma gondole à pédales!

Peter Dedalus

Cahier :

CINQUIÈME

Titre :

SORTIE DES CLASSES

Impression :

 ̶ ̶ ̶R DEDALUS

Chapitre :

7

*L*a cloche de l'école annonça la fin de la matinée : immédiatement, les portes des classes s'ouvrirent, libérant un air vicié. Dans un joyeux tintamarre, les élèves dévalèrent les escaliers qui menaient à la sortie, prenant garde à baisser d'un ton sur le palier du bureau du proviseur. Le chef d'établissement se tenait devant sa porte vitrée, raide comme une statue.

Trois enfants se détachèrent du lot et vinrent se ranger à ses côtés en silence.

Le directeur feignit de ne pas les voir. Il attendit que le dernier cartable ait disparu avant d'adresser à Rick un regard interrogateur :

– Et toi, Banner, qu'est-ce que tu fais là ?

– Il est avec nous, répondit à sa place Jason.

– Vraiment ?

– Oui. C'est le copain de ma sœur.

Rick et Julia lui décochèrent chacun un franc coup de coude dans les côtes, tout en conservant la même expression sage.

– Méfie-toi, Banner ! Mlle Covenant est punie, l'avertit le proviseur de sa voix grave.

Rick était cramoisi.

Julia aussi. Elle ignora son frère qui grimaçait de douleur et demanda :

– Monsieur le proviseur, pouvez-vous nous rendre nos clefs maintenant ?

De sa haute taille, l'homme toisa les trois garnements. Le silence qui régnait était pesant. Il fut interrompu par un claquement régulier, d'abord lointain puis de plus en plus proche.

Tac-tac… Tac-tac… Tac-tac, tac-tac…

Mlle Stella descendait les escaliers, chaussée de ses escarpins vertigineux.

– Nous allons voir ça avec Mlle Stella ! décréta M. Marriet.

– Mais, monsieur…, commença Jason.

Un simple regard du proviseur le fit taire.

Ils attendirent que l'enseignante les rejoigne. La professeur de français fut agréablement surprise par ce comité d'accueil.

– Mademoiselle, s'il vous plaît, l'interpella poliment M. Marriet, je voudrais savoir comment les petits Covenant se sont comportés depuis leur retour dans votre classe.

Mlle Stella l'assura que leur tenue avait été irréprochable pendant la deuxième partie de la matinée. Ils avaient même fait des commentaires très judicieux à propos des différents poèmes qu'ils avaient étudiés.

Le proviseur, satisfait, remercia la professeur et la congédia.

– On peut les reprendre alors ? hasarda pour la deuxième fois Julia.

Pour toute réponse, Ursus Marriet escorta les collégiens jusqu'au porche. Il s'arrêta sur le perron, se plaça de façon à ce que M. Covenant, qui guettait les enfants dans sa voiture de l'autre côté de la place, puisse bien le voir :

– Je vous préviens, tous les trois... Si je vous surprends encore une fois...

– Mais, monsieur..., protesta Rick. Je n'ai rien à voir là-dedans !

– Cette mesure te concerne également, Banner ! répliqua M. Marriet. Si tu as choisi d'être solidaire de tes camarades, c'est que tu as toi aussi ta part de responsabilité... Bref, si l'un d'entre vous invente de nouvelles excuses pour sécher les cours, je serai intransigeant ! Et il ne faudra pas venir me débiter vos histoires de phare, de vélo, de brioches ou je ne sais quelle autre sornette ! Croyez-moi, ce jour-là, la punition que je vous infligerai restera gravée dans vos mémoires !

Le directeur marqua une pause, afin de donner un ton encore plus sérieux à son discours :

–Je conserve encore quelque temps les objets que je vous ai confisqués. Pour l'heure, je ne vous restitue que vos clefs...

Il tendit à Julia les quatre clefs de la Porte du Temps.

–Et la photo? Et mon pendentif égyptien?

–Je vous les rendrai demain matin, avant le début des cours, répondit le chef d'établissement, un sourire en coin.

Il tourna les talons de manière théâtrale et ajouta:

–Je ne tolérerai aucun retard, cela va de soi.

–Vous en avez mis un temps à sortir! fit M. Covenant en se penchant pour leur ouvrir la portière.

–Papa, tu te souviens de Rick? demanda Julia.

–Disons que, sans la couche de suie, son visage est un peu différent de celui que j'ai entraperçu hier soir... Bonjour tout de même, mon garçon!

–Bonjour, monsieur Covenant!

–Bonjour, papa! fit Jason d'une petite voix en s'asseyant devant.

–Il y a un problème? releva M. Covenant, intrigué.

–En quelque sorte, oui, le devança Julia. On a beaucoup de devoirs... Ça ne te dérange pas si Rick vient travailler avec nous cet après-midi?

– Non, non... Il faut juste qu'on demande à ta mère. Vous n'avez qu'à vous rappeler après le déjeuner.

– Entendu. À tout à l'heure, alors! Au revoir, monsieur Covenant! lança Rick.

Il s'éloigna de la voiture, enfourcha sa bicyclette et se retourna vers Julia, sa main imitant le combiné du téléphone:

– Je t'appelle, articula-t-il tout bas.

– Non, c'est moi!

– Ils commencent à m'exaspérer, ces deux-là! ronchonna Jason en bouclant sa ceinture de sécurité.

Le cœur léger, Rick pédalait à vive allure. Il était heureux et se réjouissait à l'avance du programme de l'après-midi. Il passa comme une flèche devant l'église de Kilmore Cove, salua le père Phénix en pleine discussion avec un groupe de personnes, fila jusqu'à l'auberge *Au Grand Large*, longea le marché au poisson et s'arrêta sur le Petit Quai.

La Villa Argo dominait le paysage, perchée sur sa falaise.

Rick scruta la route en lacets qui serpentait jusqu'à Salton Cliff, surveillant la carrosserie chromée de M. Covenant. Dès qu'il l'aperçut, il ne lâcha plus la voiture des yeux.

– C'est moi qui t'appellerai, murmura-t-il au moment où l'arrière du véhicule disparaissait derrière les arbres du parc.

Rick sourit, fit demi-tour et remonta la rue Pempley.

– Mais... Qu'est-ce que c'est ?

Mme Banner était toute retournée. Son fils venait de faire irruption dans la pièce, un petit paquet rectangulaire à la main.

– Allez, maman ! Ouvre !

– Tu es sûr que c'est pour moi ?

– Oui ! Et un peu pour moi aussi, je t'avoue...

Mme Banner s'empara du cadeau. Elle s'installa à la table, rabattit la nappe à carreaux et posa le paquet. Elle le fixait comme s'il s'agissait d'un précieux trésor. Emballé dans un papier jaune d'or, il était orné d'un magnifique nœud vert dans lequel était glissé un épi de blé.

On entendait la soupape de la cocotte-minute tourner, et une odeur de soupe de légumes emplissait la pièce.

– Mais tu es fou, Rick !

– Peut-être bien... Vas-y ! Courage !

Mme Banner retira son tablier. Elle rentrait tout juste de chez les Connors, où elle faisait le ménage une fois par semaine, et se sentait lasse.

– Tu as quelque chose à fêter ? demanda-t-elle en déliant le ruban.

Ses mains sentaient encore l'eau de Javel.

– Non, rien de spécial. J'avais juste envie de te faire plaisir, maman.

Le lien vert tomba sur le sol. Mme Banner écarta bruyamment le papier : une douzaine de pâtes de fruits saupoudrées de sucre étaient alignées dans la boîte en carton.

À leur vue, elle porta une main à sa bouche :

– Rick ! s'exclama-t-elle, la voix tremblante. Dis-moi que je rêve !

– Si, si, maman, ce sont bien les pâtes de fruits qu'on préférait : toi, moi et papa.

Le même souvenir afflua à l'esprit de Rick et de sa mère. Tous les dimanches, en sortant de la messe, M. Banner avait l'habitude de faire un détour par la pâtisserie Chubber pour acheter les fameuses confiseries. Il s'éclipsait discrètement pendant que sa femme bavardait sur le parvis et que son fils s'amusait à chasser les mouettes. Il arrivait parfois que Rick l'accompagne et choisisse avec lui. Il prenait alors cinq rouges, ses préférées, et seulement deux vertes pour son père. Lui les trouvait trop fortes.

Après la disparition de son père en mer, Rick n'avait plus jamais mangé une seule pâte de fruits à la maison ; sa mère n'avait pas eu le cœur à repousser la porte de la pâtisserie Chubber.

– Allez, maman ! Sers-toi...

Il avait pensé renouer aujourd'hui avec la tradition familiale, même si ce n'était pas dimanche.

Les yeux de sa mère étaient baignés de larmes. Elle secoua la tête :

– Non, merci, je n'ai pas faim. Mais prends-en une, toi !

Cette fois, Rick en attrapa une verte, celle que son père appréciait tant.

Il la mit dans sa bouche et la suça sans la croquer, redoutant son goût. Mais, à sa grande surprise, la friandise délivra un puissant arôme de menthe.

Il aimait ça.

Rick sourit : avec le temps, ses goûts avaient changé.

Peter Dedalus

CINQUIÈME

re :

LA CACHETTE

mpression : | Chapitre :

PETER DEDALUS | 8

*L*éonard raccrocha. Il remit de l'ordre dans les cartes marines éparpillées sur sa table de travail. Négligemment posé sur l'une d'entre elles se trouvait un exemplaire du *Voyageur curieux, le petit guide de Kilmore Cove et de ses environs* qu'il avait récupéré la veille chez Calypso, de peur qu'il ne tombe entre les mains des enfants.

Léonard quitta la salle de veille, referma la porte derrière lui et entama la descente des quelque trois cents marches. L'étroit escalier en colimaçon, dépourvu de rampe, était collé à la paroi. L'endroit n'était guère rassurant. Au fil des années, Léonard y avait accroché son tableau de pêche : les carcasses de ses plus grosses prises. Parmi elles figuraient la man-dibule d'une baleine capturée au nord de la Sibérie, trois mâchoires de requins du Pacifique, des défenses de morse et une longue corne de narval[1].

Arrivé au rez-de-chaussée, Léonard continua à descendre. Il s'arrêta quelques degrés plus bas devant un battant fermé. Il s'assura qu'il était bien verrouillé, remonta et sortit du phare.

Un fort vent d'ouest s'était levé, soufflant des traînées d'écume.

---

1. Sorte de licorne de mer, le narval est un grand mammifère cétacé de l'océan Glacial Arctique.

Minaxo se dirigea vers l'écurie et ouvrit le box d'Ariane.

– Tu es gâtée, en ce moment, ma belle ! lança-t-il à la jument. On ressort aujourd'hui !

Il la sella en deux temps trois mouvements et la tira par la bride jusqu'au pré devant la bâtisse. Il vérifia qu'il avait bien accroché son poignard à sa ceinture. Grimpant sur le dos du cheval tel un cowboy chevronné, Léonard cria à l'oreille d'Ariane :

– En avant ! Au petit bois !

La jument se lança au trot sur la route de la presqu'île, avant de partir au grand galop. En un éclair, le cavalier et sa monture avaient rejoint la route côtière, ils remontaient en direction des collines entourant le domaine du Paradis rose.

Après avoir emprunté un petit sentier raide qui serpentait entre de gros rochers, la jument arriva enfin à l'orée d'un bois. Comme elle se glissait sous les frondes des arbres, Léonard tira sur les rênes :

– Hé, doucement, ma jolie ! lui murmura-t-il. Ça fait tout de même un bout de temps que je ne suis pas venu ici.

Ils pénétrèrent dans un bocage parsemé de buissons fleuris et tapissé d'herbe tendre. Petit à petit, la végétation se fit plus dense, la lumière plus rare. Des chênes centenaires apparurent çà et là, et de maigres

bouleaux dominèrent le paysage de leurs hautes silhouettes.

Léonard n'avait aucun mal à se repérer, il s'enfonçait avec sa monture au cœur de la forêt. Il ne descendit de selle qu'une seule fois pour inspecter le terrain. Ils bifurquèrent alors sur un sentier plus large jusqu'à un tronc marqué d'un ruban rouge puis tournèrent à gauche.

Le gardien du phare sauta à terre et, tout en sifflotant, se fraya un passage au milieu des broussailles à l'aide de son couteau. Ariane en profita pour brouter.

Au bout d'une dizaine de minutes, Léonard s'arrêta. Devant lui se profilait une énorme masse recouverte d'une bâche verte, camouflée à son tour par des branchages.

Il souleva le plastique, et lut :

« ENTREPRISE DE DÉMOLITION CYCLOPS. »

Léonard jubilait.

Il contourna la chose et lui ôta son habillage. Il mit en évidence une grosse pelleteuse jaune dont le bras mécanique était replié sur lui-même, raidi. Léonard se hissa sur les chenillettes, rentra dans l'habitacle et prit place sur le siège du conducteur. Il se frotta les mains, tout en observant les commandes qu'il connaissait si bien. Il se pencha en avant, récupéra la clef de contact cachée derrière la pédale d'accélérateur, l'introduisit dans le démarreur et empoigna les leviers.

– Allez, bestiau ! Il va falloir se remettre au boulot !

Cahier :

CINQUIÈME

Titre :

DÉJEUNER À
LA VILLA ARGO

Impression :

PETER DEDALUS

Chapitre :

9

*J*ason était avachi devant son assiette. L'air renfrogné, il fixait la montagne de petits pois que sa mère lui avait servie. Pendant que sa sœur racontait à ses parents leur matinée au collège en omettant certains détails, il subdivisait méthodiquement ces minuscules boules à canon verdâtres en deux pyramides distinctes, avant de les catapulter sous la table d'un simple coup de fourchette. Il broyait du noir et ressassait les événements de ces dernières heures. Tout avait échoué : il n'avait pas pu aller parler à Minaxo, le proviseur lui avait confisqué l'unique photo d'Ulysse Moore et le grigri de Maruk, son amie égyptienne. Et, cerise sur le gâteau, il se retrouvait coincé à table, alors qu'il avait dix mille choses à faire...

— Et pour toi, mon chéri, comment ça s'est passé ? lui demanda sa mère, en écrasant par mégarde une série de petits pois. Oh, Jason ! Combien de fois je t'ai dit de ne pas jouer avec la nourriture ?

Le garçon repoussa son assiette, avec une moue dégoûtée :

— Je n'ai pas faim.

— Tu termines, s'il te plaît, et tu réponds à ta mère ! lui ordonna son père d'une voix calme mais ferme.

— Hum ?

–Tes cours ! lui reprécisa Julia.

Jason sortit soudain de sa torpeur et regarda autour de lui : ils déjeunaient tous les quatre dehors, devant la cuisine. Le vent soulevait les pans de la nappe en lin blanc, et le soleil qui perçait à travers les feuillages des arbres projetait des taches blanches sur les graviers. On entendait les lames se fracasser contre les rochers, plusieurs centaines de mètres plus bas.

–Euh... Rien de spécial, répliqua Jason les yeux baissés.

–Comment ça «rien de spécial»? réagit M. Covenant, en lui remettant ses petits pois sous le nez. Julia vient de nous dire que vous aviez étudié des poèmes !

–Ah, oui, les métaphores !

–Et qu'as-tu retenu ?

–Que l'auteur parle par images interposées... enfin, qu'il ne faut pas prendre les mots au premier degré... qu'ils ont un sens caché.

–Intéressant... En somme, c'est un peu comme toi : mieux vaut ne pas se fier à ce que tu nous racontes, car il y a une grande différence entre ce que tu nous dis et ce que tu penses réellement.

–Jason est toujours à la recherche du fantôme de la villa, lança brusquement Julia pour faire diversion.

Mme Covenant reposa alors le plat qu'elle s'apprêtait à rapporter. Tout en arrangeant ses cheveux en désordre, elle avoua :

– Eh bien, je commence moi aussi à me poser des questions...

Son fils faillit avaler de travers :

– Vrai... ment ?

– Depuis ce matin, j'essaie de faire de la place pour nos affaires qui vont arriver, mais c'est un vrai cauchemar. J'ai parfois l'impression que cette maison est hantée...

– Ne t'inquiète pas, ma chérie ! M. Homer va venir nous donner un coup de main, la rassura son mari en vérifiant l'heure à sa montre.

– Vous allez le faire rentrer ? demanda Jason, soudain inquiet.

– Évidemment. Comment veux-tu qu'il fasse autrement ?

– Et il compte changer la disposition des tables, des fauteuils... ou des armoires ?

– Jason ! Où est le problème ?

Le garçon tenta d'alerter sa sœur par tous les moyens.

Avec trois adultes à la maison, les choses se compliquaient sérieusement. Ils n'allaient plus pouvoir s'approcher de la Porte du Temps.

– Si vous déplacez des meubles, on aura du mal à se concentrer sur nos devoirs, n'est-ce pas, Jason ? s'écria Julia.

– Tout à fait !

– Ce n'est pas un peu fini, les enfants ! s'énerva M. Covenant. La maison est suffisamment grande, vous ne devriez pas avoir de mal à vous isoler quelque part. Et puis, ça ne va pas durer des heures.

Sa femme nuança son propos :

– Euh... Je ne serais pas aussi optimiste. C'est quasiment impossible de bouger le moindre bibelot. Tu ne devineras jamais ce qui m'est arrivé tout à l'heure... J'étais dans la petite salle à manger, tu sais, là où il y a deux meubles d'angle ?

– Humm..., fit M. Covenant qui voyait vaguement ce dont sa femme parlait.

– Eh bien, j'ai voulu remplacer les vases qui se trouvaient sur chaque étagère par la paire de candélabres rouges que nous a offerts ma mère. Je les ai donc enlevés et transportés au salon...

Son mari l'écoutait patiemment. Il avait toujours détesté les cadeaux de sa belle-mère :

– Et alors ?

– Figure-toi que je suis allée chercher quelque chose à l'étage, et, quand je suis redescendue, les deux vases étaient de nouveau sur les meubles d'angle !

– On n'y mettra donc pas les chandeliers de ta mère ! plaisanta M. Covenant, soulagé.

– Mais tu n'as rien compris ! Ces pots ne sont tout de même pas revenus tout seuls ?

Les yeux pétillants, Jason lâcha :

– C'est sûrement le fantôme.

– Tu ne crois pas si bien dire ! appuya sa mère. Et, si tu veux mon avis, il déteste les changements dans la maison !

– Viens, Julia ! On va l'attraper une bonne fois pour toutes ! fit Jason en se levant d'un bond.

D'une poigne vigoureuse, son père le rassit :

– Pas avant d'avoir fini tes légumes !

Un quart d'heure plus tard, Mme Covenant sortit de la cuisine, un plateau à la main. Depuis leur dernier voyage en Italie, son mari aimait prendre son cappuccino après chaque repas.

– Si vous voulez, on peut faire comme ça..., reprit Julia.

Têtue comme une mule, elle revenait à la charge :

– Si vous n'avez pas besoin de déménager le salon en pierre aujourd'hui, on va travailler là-bas...

Jason, qui mastiquait sa dernière bouchée de petits pois froids, approuva en silence l'idée de sa sœur : en s'y installant, ils pourraient surveiller la Porte du Temps et s'assurer que personne ne s'en approche.

— Mais pourquoi ne choisissez-vous pas un endroit plus tranquille ? Tenez, la bibliothèque, par exemple ! déclara M. Covenant.

Il ajouta un demi-sucre et remua énergiquement son café dans le sens contraire des aiguilles d'une montre :

— Et votre copain ? Il vient finalement ?

— Qui ça ? intervint sa femme.

— Rick, répondit Julia.

— Le rouquin, précisa Jason.

M. Covenant posa sa cuillère sur le bord de sa soucoupe et trempa ses lèvres dans la mousse de lait.

À ce moment précis, le téléphone sonna.

— C'est pour toi ! annonça sa femme en rigolant.

— Ce n'est pas vrai ! pesta son mari en reposant sa tasse. Je ne peux jamais boire mon café tranquillement !

M. Covenant se leva en maugréant et disparut dans la maison.

Les enfants l'entendirent répondre, hausser le ton puis s'énerver franchement.

— J'ai terminé ! fit Jason en repoussant sa chaise en fer forgé. J'y vais !

Sa sœur lui fit signe de rester assis et de se taire. Elle pointa du menton le seuil de la porte de la cuisine.

M. Covenant ne tarda pas à revenir et lâcha à bout :

– C'est incroyable !

Il but son café d'un trait et reprit :

– Quelle bande d'incapables ! Quels idiots !

– Qu'est-ce qui se passe, mon chéri ?

– Le camion de déménagement a fait demi-tour !

– Quoi ?

– Les déménageurs ne savent plus quoi inventer ! Un arbre serait tombé en travers de la route et ils auraient passé la matinée à le tronçonner ! Non, mais ils me prennent pour qui ?! Comme s'il y avait eu une tornade par ici ! Et tu ne sais pas ce qu'ils ont eu le culot d'expliquer à Homer ? Que la route était pleine d'ornières et qu'ils ont eu peur d'abîmer le châssis ! Non, mais tu te rends compte ?

– Des ornières ?

– Tu en as remarqué, toi, hier soir ?

– Ils se sont peut-être trompés de route...

– C'est impossible : il n'y en a qu'une, tu le sais bien !... Et tu ne connais pas la meilleure ? Ils ont définitivement rebroussé chemin, quand ils se sont retrouvés nez à nez avec une énorme pelleteuse jaune !

À les entendre, un colosse avec un bandeau sur l'œil était aux commandes et aurait tenté de les intimider !

La nouvelle produisit sur les jumeaux l'effet d'une décharge électrique.

– Non ?! s'écria Mme Covenant, éberluée.

– Si, je t'assure ! Ils viennent d'appeler Homer sur son portable. D'ailleurs, j'ai rendez-vous avec lui place William-V. On va vérifier l'état de la route.

– Et, qu'est-ce que je fais moi, maintenant ?

– Je ne sais pas quoi te dire, ma chérie. N'y pense pas trop ! Repose-toi, lis, va te promener ! Bon, je file !

M. Covenant s'éloigna en jurant.

Jason et Julia attendirent que leur père grimpe dans sa voiture puis, voyant leur mère s'approcher, ils s'exclamèrent :

– On se met au travail, maman. Ne t'inquiète pas, on en a pour un bon moment. À tout à l'heure !

LE MANUEL DE L'ÉVASION

CLÉS, CADENAS, PASSAGES SECRETS
ET AUTRES ASTUCES

Cahier :

CINQ

Titre :

RECHERCHES À
LA BIBLIOTHÈQUE

Impression :

PETER DEDALUS

Chapitre :

10

*L*es jumeaux grimpèrent quatre à quatre l'escalier monumental de la Villa Argo. Le coup de fil du déménageur avait chassé la morosité de Jason et ravivé son enthousiasme.

– À la pâtisserie Chubber, je te répète, Julia...

Les deux enfants se dirigeaient vers le bureau en haut de la tourelle.

– Tu en es sûr ?

– J'en mettrais ma main à couper.

Julia récapitula :

– Une ici, une chez Mme Biggles... Une à la Maison aux miroirs et une chez Chubber... Ça nous fait donc quatre portes. Mais combien y en a-t-il en tout ?

Jason secoua la tête :

– Je l'ignore. Et, à mon avis, c'est le premier point qu'on doit clarifier.

– Bon, comment comptes-tu t'y prendre ?

– Je te propose d'aller faire un tour à la bibliothèque. Tu te souviens, quand on était sur l'île aux Masques, Peter a parlé d'un livre qu'Ulysse avait trouvé. Il comportait un chapitre sur les portes du temps écrit par son arrière-grand-père et une série de croquis de la Première Clef...

Jason s'interrompit : sa sœur lui avait tourné le dos. Debout derrière la fenêtre de la tour, baignée par la lumière du soleil, elle contemplait la baie de Kilmore Cove.

– Hé, oh, Julia !

La jumelle sortit de sa rêverie :

– Oui, d'accord... Je te rejoins là-bas, j'appelle d'abord Rick.

Jason se mit à lire les inscriptions des plaques de cuivre posées sur les rayonnages de la bibliothèque. Tout en contournant le divan en peau de buffle et les deux vieux fauteuils pivotants, il étudia minutieusement le dos des livres : certains affichaient de beaux caractères dorés que les années avaient partiellement effacés, d'autres ne portaient aucun titre. Il y avait là une série de volumes recensant les champignons sous leurs noms latins et des traités d'anatomie illustrés par de nombreux schémas peu appétissants. De petits précis d'astronomie étaient rangés à côté d'imposantes encyclopédies. Des centaines de romans, d'essais philosophiques, de carnets de voyage ainsi qu'une collection entière de cartes géographiques étaient sagement alignées. Tandis que Jason parcourait les étagères de droite à gauche, il se sentait observé par les ascendants de la famille Moore peints sur le gigantesque arbre généalogique au plafond.

Au bout de longues minutes, le garçon finit par tomber sur ce qu'il cherchait. C'était un grand livre étroit, relié en cuir bordeaux. *Le manuel de l'évasion : clefs, cadenas, passages secrets et autres astuces.*

Jason poussa un escabeau sous les étagères, grimpa dessus et récupéra l'ouvrage. Il s'assit sur le tapis et étudia sa couverture : un petit miroir rond y était incrusté.

Julia fit irruption dans la pièce, *Le Dictionnaire des langages oubliés* à la main :

– Rick viendra plus tard, annonça-t-elle, en s'accroupissant à côté de son frère. Tiens, qu'est-ce que tu as déniché ?

Jason ne prit pas la peine de lui répondre. Il était absorbé par sa trouvaille et tournait les pages avec une extrême délicatesse. Le livre était imprimé sur un papier vélin couleur albâtre. Un élégant motif floral divisait le texte en deux colonnes ; des illustrations en noir et blanc entrecoupaient les paragraphes. Il s'agissait la plupart du temps de dessins de cadenas sophistiqués, de coupes transversales de serrures ou de schémas détaillant la procédure à suivre pour installer un compartiment secret à l'intérieur d'une armoire, d'une malle ou d'une cloison. On y expliquait notamment par une série de flèches qu'en abaissant le levier n° 1 caché derrière le candélabre on actionnait la poulie n° 2 qui faisait sauter hors des gonds n° 3 la porte miroir n° 4.

Jason observa avec la plus grande attention les cadenas à combinaison qui ne s'ouvrent qu'une seule fois avant de s'autodétruire. Il apprit comment étaient réalisées les clefs très spéciales utilisées par la noblesse française pour cacher ses bijoux.

– Waouh! s'exclamait le garçon en découvrant page après page des coffres-forts, des trappes à ressort, des panneaux coulissants et des escaliers secrets.

Il se souvint tout d'un coup qu'il était monté à la bibliothèque pour effectuer une recherche précise. Il alla directement à la dernière page et posa le manuel par terre, de façon à ce que Julia puisse le voir elle aussi.

Le sommaire recensait une série d'articles rédigés par des auteurs différents. Jason parcourut la liste de noms jusqu'à ce qu'il tombe sur :

Raymond Moore
Petite étude des huit portes des Cornouailles,
Curiosité scientifique et rêve de cambrioleur
Page 223

– Huit! Il y en a huit! s'exclama le jeune homme, tout excité, en tournant les pages.

– Raymond Moore... Voyons..., fit Julia les yeux levés vers l'arbre généalogique.

Elle scruta chaque médaillon, du dernier descendant, Ulysse, jusqu'à l'ancêtre-souche, Xavier.

– Le voilà ! s'écria-t-elle.

Elle venait de repérer Raymond, plus proche de Xavier que d'Ulysse. Son épouse était une certaine Mme Fiona.

Julia compta le nombre de générations qui le séparaient de l'ancien propriétaire :

– Il a vécu il y a au moins quatre cents ans.

– Léonard m'a déjà parlé de lui, avoua Jason.

– De Raymond Moore ? C'est vrai ? Quand ?

– Pas plus tard qu'hier... dans le parc aux Tortues. Il m'a expliqué que le paysagiste était un ancêtre des Moore. Raymond, m'a-t-il dit, je m'en souviens très bien. Enfin, pour être exact, Léonard a commencé par me raconter que Raymond était son aïeul puis il s'est repris.

– Donc, le gardien du phare...

– Tu penses la même chose que moi..., fit Jason, avant de se plonger dans l'article.

Après une interminable préface, Raymond Moore entrait dans le vif du sujet. Il disait avoir découvert une bourgade tranquille sur la côte sud-ouest des Cornouailles où se trouvaient plusieurs serrures bizarres. Il les avait reproduites sur un croquis précis. Le petit village en vieilles pierres ne présentait, selon lui, pas d'intérêt touristique majeur. Le paysage environnant était certes de toute beauté, mais la région en général était magnifique.

Julia fit remarquer à son frère que jamais Raymond ne citait le nom de Kilmore Cove. Il insistait en revanche sur le fait qu'aucune route ne le desservait et qu'on ne pouvait y accéder que par la mer.

Raymond Moore précisait plus loin que les huit serrures étaient montées sur autant de portes disséminées dans les environs : un relais postal, un romantique « domaine de la chouette », une maison de pêcheur, une écurie, un temple antique au sommet d'une colline, une certaine ferme Beamish, la tour de garde et le phare.

Curieusement, les portes ne se trouvaient pas dans des monuments officiels, comme on aurait pu s'y attendre. L'une d'entre elles, poursuivait l'auteur, était même adossée à une voiture.

Elles étaient toutes fabriquées dans un bois sombre et massif. Sur le lot, une seule paraissait plus ancienne que les autres et avait une serrure plus sophistiquée.

C'était la porte percée dans le mur intérieur de la tour de garde, une ancienne construction romaine perchée sur la falaise.

À la vue du croquis suivant, les jumeaux eurent un haut-le-cœur. Ils avaient sous les yeux la serrure de la porte du temps de la Villa Argo.

– Ainsi, la maison a été édifiée sur les ruines de la tour romaine, murmura Julia.

– Hum, humm…, répondit Jason.

Et il poursuivit la lecture à voix haute :

– *Ces surprenantes serrures ne nécessitent aucun entretien. Les clefs y tournent avec une facilité déconcertante et on se demande quel mécanisme les commande. J'ai essayé de déterminer la matière dans laquelle ces petits bijoux de la serrurerie étaient réalisés mais je n'ai pas réussi à l'identifier précisément. Il semblerait qu'elle soit en majeure partie composée d'or, car seul le mercure a réussi à l'attaquer. Pourtant, ce curieux alliage ne présente ni la fragilité de l'or ni sa capacité à conduire la chaleur. Je laisse donc le tableau de résultats n° 3 à la disposition de ceux qui voudraient se rendre sur place pour approfondir les recherches…*

Jason se racla la gorge, avant de continuer :

– *Des clefs en apparence simples et élégantes enclenchent les mécanismes cités ci-dessus. Sur leur anneau sont sculptées des formes animales. J'ai pu en examiner cinq (cf. schéma n° 5) et les identifier : un cheval, un chat, un lion, un cétacé et un curieux singe qui grimace. Tout porte à croire qu'il y a en tout onze clefs : quatre pour la porte de la tour et sept pour les autres battants répartis dans le village. J'ignore en revanche quelle clef commande quelle serrure.*

– Attends un peu..., fit Jason.

Il prit une feuille, recopia la liste des clefs évoquées par Raymond Moore et ajouta celles dont il avait connaissance. Ce qui donna :

Cheval
Chat
Lion
Cétacé (baleine ?)
Singe
Ornithorynque
Uraète
Varan
Renard

– Ça fait neuf clefs. Il nous en manque deux.

– Et nous n'avons trouvé que quatre portes sur huit ! ajouta Julia.

– Raymond Moore affirme qu'il y en a une au phare. Elle ne devrait pas être trop difficile à localiser.

En revanche, je ne vois pas à quoi correspondent *la maison de pêcheur* et *la ferme Beamish*...

– On n'a qu'à demander à Rick, proposa Julia.

Jason se tut. Il devint pensif.

– Dire que les portes sont toutes indiquées sur la carte qu'Olivia nous a volée! lâcha-t-il au bout d'un moment.

– ... et que quelqu'un l'avait mise en sécurité en Égypte antique[1], justement pour que ça n'arrive pas!

– C'est la même chose avec les clefs: quelqu'un les a toutes cachées quelque part.

– Tu crois que c'est Black Volcano?

– Ça m'en a tout l'air, dit Jason en tournant la page. Black Volcano, le maître des clefs!

L'article de Raymond Moore se poursuivait par d'interminables explications sur les clefs et la signification des figures animales reproduites sur leurs poignées. Sur la dernière page, les jumeaux découvrirent une illustration qui les laissa sans voix.

La Première Clef.

Elle ressemblait beaucoup à celles qu'ils possédaient déjà, si ce n'est que l'animal ciselé sur l'anneau était différent. Il s'agissait cette fois de trois tortues.

---

1. *Cf.* tome II, *La Boutique des Cartes Perdues.*

– Les tortues! Évidemment! Pourquoi n'y a-t-on pas pensé plus tôt? s'exclama Jason.

Sous l'illustration, la légende précisait: *Après avoir minutieusement étudié les serrures et les portes, j'en conclus qu'elles sont l'œuvre d'une seule personne. Ou d'une poignée d'habiles artisans, qui se sont inspirés du même projet de départ et l'ont par la suite transformé pour rendre chaque clef unique en son genre. Aucun villageois ne connaît l'identité de ces bâtisseurs, personne n'est capable de dire s'il s'agit d'un individu isolé, d'un groupe ou d'une antique peuplade de ciseleurs exceptionnellement doués. Mais je reste persuadé que le modèle en question correspond à celui qui est reproduit ci-contre. Je l'appelle la Première Clef, ou la clef qui permet d'ouvrir et de fermer les huit portes. Elle présente ou présenterait – car je ne suis pas tout à fait sûr qu'elle existe – une forme et des dimensions identiques à celles des autres clefs. Elle aurait également trois tortues sur sa poignée. Ce serait en effet la signature des constructeurs des portes: trois tortues, animaux représentant la sagesse dans de nombreuses civilisations, grands explorateurs vivant dans l'eau ou sur la terre ferme jusqu'à un âge avancé. Je vous laisse, cher lecteur, le soin d'approfondir l'étude de ces symboles...*

– On en apprend des choses! siffla Jason.

– Voyons, commença Julia. On a déjà vu ce symbole en haut de la porte de la grotte de Salton Cliff...

– ... et il y a une grande sculpture de tortues dans le parc aux... Tortues! ajouta son frère.

– Tiens, comme par hasard, le jardin a été conçu et imaginé par Raymond Moore!

Les jumeaux se turent, ils avaient le sentiment de progresser...

– Jason... Tu crois que les portes ont été bâties par un membre de la famille Moore?

– Non, je ne crois pas. Enfin, je n'en sais rien.

Il ne cessait de penser à la Première Clef et aux trois tortues.

En entendant sa mère aller et venir dans la maison, Jason revint brusquement à la réalité. Il referma le manuel et annonça d'un ton résolu :

– On n'a pas de temps à perdre.

– Quel est ton plan?

– Il faut mettre la main sur cette fameuse clef. Donc, objectif n° 1 : trouver Black Volcano.

– Comment?

– Allons d'abord parler à Nestor...

Cahier :

CINQUIÈME

Titre :

**CONFESSIONS
INTIMES**

Impression :	Chapitre :
PETER DEDALUS	**11**

*L*a gondole de Peter Dedalus glissait sur l'eau. En apparence, rien ne semblait la propulser : ni aviron, ni rame, ni moteur. En réalité, l'horloger de Kilmore Cove l'avait équipée d'un pédalier, ce qui lui permettait de la faire avancer tout en restant confortablement assis à la poupe.

L'embarcation redescendit lentement le Grand Canal, passa le pont du Rialto et s'engagea dans le rio San Luca sur la rive opposée. Une légère brume enveloppait encore les palais.

– Venise est sublime le matin, n'est-ce pas ?

Olivia se contenta de grommeler quelques syllabes incompréhensibles. Elle se tenait à l'avant, nerveuse, insensible au charme de cette ville trop humide et nauséabonde à son goût.

– C'est encore loin ? demanda-t-elle en courbant son dos sous un énième pont.

Peter ralentit et montra à sa passagère une inscription sculptée sous la voûte :

– Certaines choses ne peuvent être vues que si l'on se trouve au bon endroit, lança-t-il d'un ton mystérieux.

– Épargne-moi ta philosophie à quatre sous ! Viens-en plutôt au fait !

– C'est simple, Olivia : pour ouvrir la bonne porte, il te faudra la bonne clef.

– Et c'est à moi que tu dis ça ? railla-t-elle. Je te signale que j'ai mis des années pour comprendre quelle porte la clef du chat ouvrait. Et j'y suis parvenue par pur hasard.

– Un drôle de hasard, si j'en crois ce que tu m'as raconté... qui t'a menée tout droit à la carte montrant l'emplacement des huit portes du village.

– « Tout droit », c'est un peu exagéré, rectifia Olivia.

Il lui avait tout de même fallu négocier avec le propriétaire de la boutique des cartes perdues pour la récupérer et supporter son affreux crocodile de compagnie.

– Tu sais donc qu'il y a une porte du temps à la Villa Argo.

– Si tu as l'intention de continuer à te moquer de moi, Peter, je te préviens, je descends immédiatement !

Pour toute réponse, Peter accéléra et doubla une gondole.

Olivia reprit :

– Ça fait des années que j'essaie d'acheter cette maison... L'ancien propriétaire a tout fait pour m'en empêcher, et, maintenant, c'est au tour de son odieux jardinier !

– Ils ont de bonnes raisons..., lâcha Peter.

L'inventeur de génie resta alors silencieux un moment. Il savait pourquoi Ulysse Moore et Nestor

refusaient de la lui vendre. Il réfléchissait à ce qu'il devait révéler ou taire.

– Il faut reconnaître que la porte de la Villa Argo est particulière... C'est la plus ancienne.

Peter Dedalus avait prononcé la dernière phrase d'un trait, comme s'il se libérait d'un gros poids sur le cœur. Il ajouta :

– C'est la seule qui s'ouvre avec quatre clefs et permet de rejoindre différentes destinations.

– Comment est-ce possible ?

– Grâce à un décor conçu par Raymond Moore, et amélioré ensuite par son neveu, William, un passionné de théâtre lui aussi. Il y a ajouté un bateau.

– De quel bateau parles-tu ? réagit Olivia.

– Ah, ma chère, la Villa Argo regorge de surprises ! Des générations d'excentriques s'y sont succédé... et ils adoraient les passages secrets.

– J'adore ça, moi aussi !

– À qui le dis-tu !

Une vague de souvenirs sembla soudain submerger Peter, qui sombra un instant dans la mélancolie. Puis, il se confia de nouveau :

– Il y a un passage dans la bibliothèque. Il suffit de retourner les plaquettes en cuivre posées sur les rayonnages d'histoire...

Il regretta aussitôt de s'être montré aussi bavard et s'empressa de dire :

— Mais il ne conduit nulle part. Les vrais passages secrets sont ailleurs...

— Ailleurs ?

— Oui... Sous la villa existent des galeries qui débouchent dans une immense grotte. Où... un bateau est amarré... Il mène à une deuxième porte... qui permet de rejoindre toutes les contrées auxquelles chaque autre porte du temps donne accès.

À ces mots, des étincelles apparurent dans les yeux d'Olivia :

— Maintenant, je comprends ! Voilà pourquoi je suis tombée sur les enfants en Égypte puis à Venise ! C'est grâce à la porte de la Villa Argo !

— Quels enfants ?

— Cela ne te regarde pas ! rétorqua Olivia. Ces gamins détiennent donc les quatre clefs...

— De qui parles-tu enfin ?

Olivia poussa un profond soupir. Elle lui raconta finalement ce qu'elle avait appris au sujet de la vente de la maison et de l'arrivée des jumeaux Covenant.

— Mais..., réfléchit-elle tout haut. Pourquoi Black Volcano ne les a-t-il pas mises en sécurité elles aussi ?

– Il aurait dû le faire, répondit Peter. J'ignore ce qui l'en a empêché. Je suis parti avant lui.

Les pensées se bousculaient dans la tête d'Olivia. Si la porte de la Villa Argo s'ouvrait effectivement sur toutes ces destinations, alors...

– Je savais qu'il fallait que j'achète cette maison ! brailla-t-elle.

– Disons donc que, si tu veux suivre Black, poursuivit Peter d'une voix calme, tu n'as pas trente-six mille solutions : tu dois passer par la Villa Argo.

– Et où cela va-t-il me mener ? Tu sais, toi, où Black est parti ?

– Il a franchi la porte du cheval avec la clef du même nom... et a abouti dans un jardin des merveilles.

– C'est quoi, cette histoire ?

– Regarde..., fit pour toute réponse le maître-horloger.

La gondole mécanique s'était glissée dans un canal étroit et venait de s'arrêter à la hauteur d'un palais que rien en apparence ne semblait distinguer des autres.

– Le jardin est à l'intérieur ? demanda Olivia.

– Non, non, rigola Peter. C'est là qu'est né Marco Polo. Enfin, là-dessous, car sa demeure a été détruite dans un incendie à la fin du XVIe siècle. On a reconstruit un théâtre sur ses ruines.

– Et quel est le rapport avec ton coin de paradis ?

– Il y en a un : Marco Polo le décrit dans ses récits de voyage. Il s'agirait d'un véritable jardin d'Éden « où coulent le lait et le miel[7] »... Une terre traversée par un fleuve qui roulerait « dans son lit émeraudes, saphirs, topazes [...] et autres pierres précieuses »...

– Intéressant..., murmura Olivia.

– Ce serait un immense royaume situé quelque part dans la lointaine Asie, au-delà de la Perse. Personne ne l'a jamais vu, pas même Marco Polo. Il n'a fait que rapporter ce qu'il a entendu dans ses mémoires, *Le livre des merveilles*.

– Passionnant ! Continue ! l'encouragea Olivia, qui flairait de futures bonnes affaires.

– C'est tout ce que je peux te dire. Mais, à mon avis, c'est là-bas que Black Volcano est allé cacher les clefs. Et, si tu veux les récupérer, tu sais quel itinéraire emprunter.

En passant devant l'étagère, Calypso faillit lâcher la pile de romans qu'elle s'apprêtait à ranger. Un cri s'étouffa dans sa gorge. Elle ne s'attendait pas à voir quelqu'un. Elle était persuadée d'être seule dans la librairie. Elle n'avait entendu aucun bruit, et les

---

7. Extrait de la « Lettre du Prêtre Jean à Manuel, gouverneur des Roméens ».

clochettes au-dessus de la porte d'entrée n'avaient pas tinté.

Elle porta une main à son cœur et recula jusqu'au mur du fond, avant de parvenir à articuler :

– Tu ne frappes donc jamais ?

Son interlocuteur lui décocha un sourire incisif. Il réajusta le bandeau qui cachait son œil droit et s'excusa maladroitement :

– Désolé. À force de vivre en ermite, j'ai oublié les bonnes manières.

Calypso lui lança un regard noir et se dirigea vers la vitrine, tout en essayant de se rappeler ce qu'elle voulait faire.

– Qu'est-ce qui t'amène, Léonard ? demanda-t-elle, directe. Tu ne m'as pas habituée à autant de visites.

– Ils nous ont découverts.

– Qui ça ? Découvert quoi ?

– Les enfants. Les Londoniens.

– J'en suis ravie.

– Eh bien, moi, ça ne m'amuse pas du tout.

La petite femme se planta devant le colosse et le défia :

– Tu ne vas pas me faire croire que tu t'es déplacé jusqu'ici uniquement pour me dire ça ? Par ailleurs, je te signale que tu es en train de salir mon carrelage avec tes chaussures pleines de terre. Alors, qu'est-ce que tu me caches ?

– J'ai reconduit la pelleteuse ! Comme au bon vieux temps ! lui annonça Minaxo, radieux.

Les traits de Calypso se durcirent :

– Vous n'avez pas recommencé, j'espère ?

– Si.

– Sur quelle route ?

– Celle de Londres.

– Ce n'est pas vrai, Léonard ! Nous voilà de nouveau coupés du monde ?

– Pour un ou deux jours seulement, admit le gardien du phare. On a juste abattu quelques arbres et élargi les ornières...

Calypso extirpa de la pile de nouveautés un roman policier et le plaça au centre de la vitrine.

– Bon, il va falloir appeler le cousin de Fred Doredebout pour qu'il vienne remettre la chaussée en état, déclara-t-elle.

– C'est fait. J'ai déjà averti Fred.

– Dis-moi, Léonard, pourquoi avez-vous ou plutôt as-tu recommencé ? Parce que c'est toi qui as pris l'initiative, hein ?

– Non. Écoute, Calypso... Ces gamins, on était pareils à leur âge. Ils sont loin d'être bêtes, crois-moi !

– Je te le confirmerai quand ils m'auront rendu les livres que je leur ai conseillés.

– Il n'y a pas que les livres qui comptent dans la vie.

– Ah non ? C'est vrai que certains préfèrent passer leur temps à plonger et à chercher des épaves !

– Ces gosses... ils m'ont donné envie de... recommencer, confessa Léonard. J'ai revu le petit Banner avec sa tignasse rousse, les clefs et Venise...

– Tu as refait un voyage ?

– Oui. Je suis reparti. Et j'ai compris que je n'avais jamais été si proche de la vérité.

– Tu me répètes la même chose depuis des années.

– Ils ont tous laissé tomber. Pas moi, Calypso. Je crois savoir ce qui s'est passé. Je n'abandonnerai pas.

– Ça tourne à l'obsession !

– Je touche au but.

– Je n'en suis pas si sûre. Regarde-toi ! Tu ferais mieux d'aller te laver !

Minaxo resta figé, au milieu de la librairie, telle une statue. Exaspérée, Calypso finit par lui poser la question :

– Léonard, qu'est-ce que tu veux à la fin ?

L'homme hésita, avant de se décider à répondre :

– Je voulais te saluer.

–Ne me dis pas que..., murmura Calypso dont la voix trahissait une certaine émotion.

–Je retourne en mer. Je reprends les recherches, lâcha le gardien en tournant les talons.

Et, dans un joyeux carillon, la porte de la librairie claqua.

Cahier :

CINQUIÈME

Titre :

L'INVITÉ DE PASSAGE

Impression :

Chapitre :

12

RÉPERTOIRE

*E*ncore tout émoustillé par le coup de téléphone de Julia, Rick embrassa sa mère, sortit et récupéra son vélo. Il fixa sa montre automatique au guidon, traversa le village et attaqua la côte de Salton Cliff. Debout sur les pédales, il jubilait d'avance : il venait d'interroger sa mère au sujet de Léonard Minaxo et de Black Volcano. Même s'il n'avait rien appris de primordial, il avait hâte d'en discuter avec ses amis.

À en croire Mme Banner, donc, Léonard était une sorte d'ours mal léché et peu causant. On ne savait pratiquement rien sur sa famille et on ignorait comment il était devenu gardien du phare. Au village, peu de gens étaient proches de lui et il se trouve que le père de Rick faisait partie de ses rares amis. Quant à Black, c'était lui aussi un grand solitaire. Dernier chef de gare de Kilmore Cove, il avait habité pendant des années sur place puis, à la fermeture de la ligne, il avait quitté le pays.

À la hauteur du premier virage, Rick accéléra la cadence. Il était en pleine forme, malgré ces trois jours d'enquête et la blessure à la hanche droite qu'il s'était faite en voulant échapper à l'incendie sur l'île aux Masques. Il se sentait poussé par une force étrange. Il avait l'impression qu'il n'était pas seul à pédaler, que quelqu'un l'accompagnait, l'encourageait et le rassurait. L'aidait à grandir, à mûrir. L'incitait à ne pas penser qu'à lui mais à sa mère aussi.

Rick franchit le grand portail de la Villa Argo et appuya sa bicyclette contre le mur de la cuisine. Il appela Jason puis Julia. Il avait un trémolo dans la voix, dès qu'il prononçait le prénom de la jeune fille. Son cœur battait la chamade. Julia était la première fille qu'il avait embrassée.

Cela avait été un baiser volé et rapide devant la maisonnette en flammes de Peter Dedalus, mais Rick n'était pas près de l'oublier.

Soudain, une des portes vitrées de la façade s'ouvrit. Mme Covenant apparut, maigre et ébouriffée.

– Bonjour ! lança-t-elle.

Rick la salua poliment et lui demanda s'il pouvait voir les jumeaux. À sa grande surprise, il apprit que ses amis venaient de descendre à la plage en compagnie de Nestor.

Comprenant que Jason et Julia ne l'avaient pas attendu, Rick ressentit un pincement au cœur. Après tout, ils étaient ici chez eux. Ils étaient libres de faire ce qu'ils voulaient à la Villa Argo. Lui n'était qu'un invité de passage, même si Nestor l'avait nommé

« Chevalier de Kilmore Cove » au même titre que les jumeaux.

Pourtant, il aimait cette maison plus que les Londoniens ne pouvaient l'imaginer.

Mme Covenant regarda disparaître Rick dans les escaliers de la falaise. « C'est un brave petit, tout compte fait ! » soupira-t-elle en rentrant. Elle traversa le long couloir du rez-de-chaussée et s'arrêta devant la grande glace dorée sur sa gauche. Elle resta plantée là, quelques instants, à se contempler :

– Quelle tête ! fit-elle d'un air désolé.

Ses cheveux étaient en pagaille, ses yeux cernés de noir, ses traits tirés. Elle avait un teint de papier mâché. Elle essaya d'arranger sa coiffure, mais le miroir demeurait impitoyable.

– Ah, les déménagements, ça ne pardonne pas !

Elle poursuivit son chemin en direction de la petite pièce qui abritait le téléphone. Elle composa de mémoire le numéro de portable de son mari et attendit patiemment d'obtenir la ligne.

« Ça ne passe pas », se résigna-t-elle au bout d'un moment.

Son mari et M. Homer, partis à la recherche du camion de meubles, devaient sûrement se trouver sur une petite route perdue, hors réseau...

Malgré tous les tracas du déménagement, Mme Covenant sourit :

– Peut-être faut-il laisser les choses se faire à leur rythme ici... Oublier nos mauvaises habitudes londoniennes et arrêter de tout vouloir régler en deux temps, trois mouvements... Je devrais essayer de m'adapter à la mentalité du coin au lieu de vouloir la changer... Il faut que je rencontre des gens, que j'aille au-devant d'eux... Voyons voir, il doit bien y avoir un club de loisirs ou un cours de gymnastique...

Elle se mit à fouiller dans les tiroirs de la table, à la recherche d'un annuaire ou d'un guide. Elle ne trouva qu'un vieux répertoire. Sur sa couverture jaune d'or, une aquarelle représentait un paysage. À l'intérieur étaient minutieusement notés une série de noms et de numéros de téléphone.

« Ça appartient sûrement à l'ancienne propriétaire », pensa Mme Covenant, un peu embarrassée.

La calligraphie de Pénélope Moore lui était pourtant singulièrement familière et, poussée par la curiosité, elle se mit à feuilleter le carnet d'adresses.

Elle ne tarda pas à tomber sur une carte de visite glissée à l'onglet « C » :

Gwendoline Mainoff, coiffeur visagiste, prestations haut de gamme (coiffe à domicile le mardi)

Elle jeta un coup d'œil par la fenêtre : dehors, les arbres se balançaient gracieusement dans la brise. Il régnait dans le parc un grand calme, tout comme dans la maison.

Mme Covenant se décida et forma le numéro.

À la troisième sonnerie, la voix enjouée de Gwendoline répondit.

Vu de la mer, l'escalier de la falaise n'avait rien d'impressionnant. Il semblait strier la roche de mille sillons parallèles. En réalité, il était redoutable : ses marches humides et glissantes alternaient avec des passerelles en bois ou métal, au-dessous desquelles on voyait l'écume tourbillonner entre les rochers.

Rick les descendit à toute allure. Il n'avait pas l'air perturbé par la chute que Jason avait faite ici même trois jours plus tôt.

Le soleil réfléchissait une lumière blanche et aveuglante. Les mouettes, toutes ailes déployées, se laissaient porter par les courants ascendants, telles des marionnettes suspendues à des fils invisibles.

Rick ne tarda pas à entendre des voix en contrebas. Il se pencha par-dessus le cordage d'une passerelle et reconnut les cheveux poivre et sel de Nestor, la tête blonde de Jason et la longue chevelure de Julia.

En quelques minutes, il rejoignit le trio dans la crique privée.

– Rick! l'accueillit Jason. On parlait justement de toi!

– Ah bon? s'étonna le rouquin avec le sourire. Bonjour, Nestor! Bonjour, Julia!

Il préféra éviter le regard de la jumelle.

– Et à quel propos?

– On se demandait si tu savais ramer...

Julia et Jason avaient commencé à résumer à Nestor leurs aventures à Venise. Devant Rick, ils exposèrent au jardinier ce qu'ils avaient découvert sur le nombre de portes du temps et sur les clefs.

Rick, médusé, les regardait avec des yeux ronds:

– Quoi? Il y a huit portes du temps à Kilmore Cove?! répéta-t-il, tout en comptant sur ses doigts celles qu'il connaissait. Et les autres, où sont-elles?

Les jumeaux lui montrèrent la liste des lieux qu'ils avaient recopiée dans *Le manuel de l'évasion* et lui firent un compte rendu de l'article de Raymond Moore.

– C'est génial! s'écria Rick. Je comprends pourquoi Ulysse et ses amis voulaient à tout prix protéger Kilmore Cove et éloigner les curieux! Reste à localiser les portes maintenant!

– Le problème, c'est que...

Jason désigna la Villa Argo :

– ... maman est à la maison, et on ne va pas pouvoir aller au village à vélo.

– Hum, humm..., fit Rick. Qu'est-ce qu'on fait, alors ?

Les jumeaux se retournèrent vers le vieux jardinier, qui marmonna quelque chose d'inaudible dans sa barbe.

– On a raconté à Nestor ce qui s'est passé sur l'île aux Masques, reprit Jason. On pense que Peter est probablement mort brûlé vif dans l'incendie de sa maison ou a été écrasé sous les décombres.

– Il y a de fortes chances, admit Rick, le visage sombre. Mais Olivia n'a peut-être pas survécu non plus !

Nestor secoua la tête :

– Ça m'étonnerait...

– Il n'y a qu'un seul moyen d'en avoir le cœur net, intervint Julia. Il faut retourner à la Maison aux miroirs et s'assurer qu'elle est rentrée.

– Et si on retrouvait plutôt les clefs cachées par Black Volcano ? suggéra Jason.

Rick en profita pour communiquer au trio les informations qu'il avait obtenues sur le conducteur

du train. Il espérait que Nestor allait lui fournir des
renseignements complémentaires.

– J'ignore où il est parti, renchérit le jardinier.
D'après le pacte qu'il avait conclu avec ses amis,
il ne devait justement pas leur révéler ce qu'il allait
faire des clefs, de façon à ne courir aucun risque.
Black était un vieil ami d'Ulysse. Il était extrê-
mement doué de ses mains et avait une passion
pour le feu. Il adorait en particulier les fours : qu'ils
servent à cuire le pain, les céramiques ou à faire
fondre les métaux. C'était le maître incontesté des
flammes.

– Il vivait seul ?

– Oh, oui ! Il répétait sans cesse qu'il préférait être
célibataire. Ainsi il pouvait conserver ses petites habitudes, vivre à son rythme. À ses yeux, le mariage
n'était qu'une perte de temps. Pourtant, dès qu'il
apercevait une femme, c'était un autre homme.
Il n'était pas très fin mais il savait les flatter. Il for-
mulait toujours le compliment qu'elles attendaient et
il avait beaucoup de succès !

– Il était pourtant petit et gros ? releva Julia.

– Crois-moi : les femmes buvaient tellement ses
paroles qu'elles ne faisaient pas attention à son phy-
sique ni à ses mains pleines de cambouis, d'ailleurs !

Pour Black, séduire était un jeu... On raconte qu'il a brisé le cœur d'une de ses conquêtes.

– Ah bon ! Qui ça ?

Nestor grommela, avant de poursuivre :

– Je n'aime pas entretenir ces rumeurs, mais... Il paraîtrait que la sœur de Mme Biggles, Clitennestra, aurait quitté Kilmore Cove à cause de lui. Ils étaient amis tous les deux, ... très proches même, je dirais... Clio était un petit peu plus âgée que lui, mais...

Le jardinier s'arrêta, l'air dépité :

– Que voulez-vous ?! Ce sont des choses qui arrivent ! Quoi qu'il en soit, je doute que la vie sentimentale de Black vous fournisse des indices intéressants. Ce que vous devez retenir, c'est que c'était un beau parleur, un manuel et un artiste à la fois. C'est lui qui a toujours réparé le portail de la villa, à chaque fois qu'il en a eu besoin. Et qui a sculpté la statue de la femme au filet, dans la véranda.

– Comme par hasard, il a représenté une femme, plaisanta Jason.

– Tout ça remonte à quand ? reprit Julia.

– Oh, à une trentaine d'années ! À peu près à l'époque où j'ai commencé à m'occuper du jardin.

Nestor fixa l'horizon et les nuages qui défilaient poussés par le vent :

– Quand l'ancien propriétaire a décidé de venir s'installer ici avec Pénélope, la maison était en piteux état. Elle n'avait pas été entretenue. Il y avait des courants d'air partout et le mobilier était très abîmé.

– Mais, je ne comprends pas... Je croyais que les Moore avaient toujours vécu là.

– Pas exactement, expliqua Nestor. La maison est restée fermée pendant plusieurs années.

– Donc, le père d'Ulysse ne résidait pas ici ? demanda Julia, qui se souvenait très bien de l'avant-dernier portrait dans la montée d'escalier, juste avant la place vide laissée par le cadre de l'ancien propriétaire.

– Il n'a pas habité là toute sa vie. Mais il aimait cet endroit et, s'il ne s'y est pas installé, ce n'était pas de sa faute.

– C'était celle de qui, alors ?

– Du grand-père.

– Celui qui porte l'uniforme militaire ? se rappela Julia.

– Oui. Voyez-vous, le père d'Ulysse n'était pas un Moore. Il a épousé Annabelle Moore, la fille de Mercury Malcolm Moore. Le père d'Annabelle n'avait pas de garçon et redoutait de voir la lignée s'éteindre... Le beau-père et le gendre se sont donc mis d'accord pour que le petit-fils porte le nom de jeune fille de sa mère. Le couple projetait de s'établir ici, mais Annabelle mourut en donnant naissance au petit Ulysse.

– Oh, le pauvre ! s'exclamèrent en chœur les jumeaux.

– Ce n'est pas tout : le vieux Mercury se persuada que son gendre avait porté malheur à sa famille et le tint pour responsable de la mort de sa fille. Il est devenu odieux vis-à-vis de lui et complètement indifférent au bébé. Il haïssait cet homme qu'il considérait comme un doux rêveur et détestait Ulysse qui portait un prénom trop prétentieux à son goût.

– Comment êtes-vous au courant de toutes ces choses, Nestor ? demanda Julia, émue.

Nestor haussa les épaules :

– Vous savez, même si certains sujets fâchent, ils resurgissent toujours à un moment donné. Chaque fois que l'on devait effectuer une réparation dans la maison, on en venait à reparler du grand-père, de son refus d'entretenir la villa et de son mépris pour Kilmore Cove et ses habitants.

– Si je comprends bien, les choses ont fini par changer, devina Julia.

Nestor ramassa une poignée de sable et la laissa filer entre ses doigts :

— Oui… Au bout du compte, les deux derniers descendants de la famille ont vécu ici.

— Et désormais, ce sont les Covenant, lança Jason. Et leur copain Banner ! Voici les nouveaux Chevaliers de Kilmore Cove !

La mer se retirait progressivement, laissant apparaître son fond ondulé. Les barrières rocheuses qui encadraient la petite plage paraissaient soudain plus imposantes.

Rick relança la discussion :

— Au fait… Pourquoi m'avez-vous demandé si je savais ramer ?

— Parce que ni Jason ni moi n'en sommes capables, répondit Julia.

Le jeune rouquin la regarda, surpris. Julia indiqua la falaise de Salton Cliff et expliqua :

— Nestor nous a dit qu'il y a une barque cachée là-derrière. On pensait s'en servir pour se rendre au village.

Rick écarquilla les yeux, terrifié à l'idée de devoir affronter les redoutables courants de la baie :

— Quoi ? Vous voulez aller à Kilmore Cove en barque ?!

– Parfaitement ! Tu sais ramer, oui ou non ?

– Si cela t'effraie, je peux vous y emmener, intervint Nestor. Mais il faut faire vite. Je dois remonter, avant que votre mère ne s'inquiète de votre disparition.

– Et si elle vous pose des questions ?

– Je lui répondrai la même chose que d'habitude : que je ne suis pas censé vous surveiller. Qu'il est normal que des gamins de votre âge aient envie d'explorer les lieux.

Julia observa Rick, qui fixait un récif.

– Alors, Rick ?

Le garçon connaissait toutes les histoires qui circulaient dans le pays. Ces récits de barques projetées contre les brisants, d'équipages ayant fait naufrage...

– Inutile de nous accompagner, Nestor. Je saurai me débrouiller, finit-il par répondre.

Le jardinier guida les enfants jusqu'à l'embarcation. Clopin-clopant, il traversa la plage, rejoignit un énorme bloc de pierre situé au pied de la falaise, le contourna et se faufila derrière.

Il y avait là une grotte, qui passait inaperçue au premier abord. Une petite barque y était dissimulée.

– Aidez-moi ! fit le jardinier, en commençant à soulever la bâche qui protégeait l'embarcation.

Au prix de nombreux efforts, ils sortirent la barque

de sa cachette. Quelques minutes plus tard, elle était sur la plage, prête à être mise à l'eau.

Malgré la peinture écaillée, on pouvait encore lire son nom sur la proue : *Annabelle*.

– Je veux que vous soyez de retour dans trois heures, dernier délai ! leur ordonna Nestor. Après, j'aurais du mal à contenir la colère de votre mère.

– Mais ce n'est pas possible ! protesta Jason. On n'aura jamais le temps de tout faire ! On doit localiser quatre portes du temps, trouver où Black Volcano a caché les clefs, vérifier si Olivia est rentrée et aller au phare !

– Au phare ? releva naïvement Rick.

Croisant le regard de Julia, il comprit.

– Alors, vous devez faire des choix, conclut Nestor.

Jason décida pour tous :

– On va commencer par les clefs !

Il enleva son tee-shirt pour éviter de le mouiller et le lança dans la barque. Il prit son élan, poussa la coque dans l'eau et bascula le buste à l'intérieur tout en battant des pieds :

– Allez, montez !

Rick grimpa à son tour puis tendit la main à Julia. Il plaça ensuite les rames dans les tolets, tandis que la houle malmenait le bateau.

– Ça ira, Rick ? s'enquit Nestor.

– Pas de problème !

Après avoir bataillé un moment, le jeune Banner réussit à diriger l'embarcation vers le large.

Nestor les suivit du regard jusqu'à ce qu'ils disparaissent derrière le cap.

– Mais, enfin, Black, où as-tu mis ces fichues clefs ? siffla-t-il entre ses dents.

Au bout de la presqu'île, Léonard donna à boire à sa jument. Il remonta une à une les trois cents marches de l'escalier à vis. Arrivé en haut du phare, il contrôla la lanterne et vérifia que le système automatique était bien enclenché, avant de redescendre dans la salle de veille.

Il reprit l'étude de la carte marine de la baie de Kilmore Cove. Elle était noircie d'annotations et de calculs de navigation.

Léonard tendit la main vers ses étagères, attrapa un livre parmi les nombreux ouvrages sur les naufrages qu'il collectionnait, afin de contrôler ce qui le préoccupait.

Il se replongea dans sa carte, reprit son compas, sa règle, sa ficelle, apposa une énième croix et traça une route. Elle partait du phare et s'arrêtait approximativement à deux milles nautiques[1] de la côte.

_____
1. À environ 3,5 km des côtes.

Le gardien consulta sa montre. S'il se dépêchait, il aurait peut-être le temps de faire une plongée de reconnaissance. Et qui sait si, pour une fois, la chance ne lui sourirait pas?

«Je touche au but», se dit-il, satisfait.

Il rangea le livre, enroula la carte, la glissa sous son bras et dévala les escaliers. Après avoir récupéré deux bouteilles de Nitrox, sa combinaison et son gilet de plongée, ses palmes, son vieux masque, il chargea le tout sur ses épaules et sortit du phare. Léonard descendit vers le ponton, où était amarré un bateau à moteur. Il jeta son matériel à l'arrière, sauta à bord et fixa les bouteilles au bastingage. Il étala ensuite la carte à côté du poste de pilotage, largua les amarres et démarra.

Le hors-bord mit le cap vers la haute mer.

Le gardien était euphorique:

– Cette fois, tu ne m'échapperas pas..., lança-t-il, secoué par les soubresauts du bateau.

Il n'avait pas parcouru cent mètres, lorsqu'il remarqua une embarcation sous la falaise de Salton Cliff. Une barque se dirigeait tout droit sur les «Ailerons de requin», les deux récifs qui pointaient dangereusement hors de l'eau, à la hauteur de la Villa Argo.

– Je rêve ou quoi ? s'exclama Minaxo en ralentissant. On dirait l'*Annabelle* ! Mais qu'est-ce que ce vieux fou fabrique encore ? Il n'a tout de même pas décidé de reprendre la mer lui aussi ?

Léonard éclata d'un rire franc. Puis il se ressaisit et jeta un coup d'œil au baromètre.

« Mer calme et température idéale », voilà ce que l'instrument de mesure et son instinct lui dictaient.

« On ne peut pas rêver mieux pour reprendre la plongée ! » pensa-t-il.

Cahier :

CINQUIÈME

Titre :

**LES AILERONS
DE REQUIN**

Impression :

PETER DEDALUS

Chapitre :

13

L'Annabelle était sortie de la petite crique de Salton Cliff. La barque se dirigeait vers l'étroit passage entre les « Ailerons de requin » et le cap qui délimitait l'entrée dans la baie aux Baleines. Nestor n'était plus qu'une minuscule tache sombre sur la plage.

– Tu voulais savoir pourquoi on voulait aller au phare, Rick..., commença Julia. En fait, on ne pouvait pas te répondre tout à l'heure devant Nestor.

– Pourquoi vous ne lui avouez pas qu'on soupçonne Léonard d'être Ulysse Moore ?

– Réfléchis ! Si c'est le cas, ça veut dire que Nestor nous a menti à son sujet, se justifia Jason.

– Il n'avait peut-être pas le choix, hasarda Rick.

Il cessa de ramer et laissa la barque dériver.

– Qui pourrait l'obliger à mentir ? demanda Julia.

– Léonard en personne, répondit son frère. Il souhaite peut-être que toute cette histoire reste secrète. À mon avis, il a quitté la Villa Argo en se faisant passer pour mort et s'est réfugié au phare, où personne ne vient le déranger.

– Pourquoi aurait-il agi de la sorte ?

– Ça reste à découvrir.

– Admettons que nos soupçons se confirment, Jason, ton histoire de fantôme qui sème des indices ne tient plus la route.

– Pour l'instant seulement. Mais je n'y renonce pas définitivement... Dis, Rick, tu as besoin d'un coup de main ?

– Ce n'est pas de refus ! À deux, c'est moins fatigant, dit le garçon en lui faisant une place sur le banc de bois.

Jason se leva, et, tel un équilibriste sur un fil, rejoignit son ami.

Rick lui montra le mouvement, avant de lui confier l'aviron droit. Jason l'imita du mieux qu'il put, mais la barque se mit à tourner sur elle-même comme une toupie.

– Non, Jason, pas comme ça ! hurla Rick. Plonge-le dans l'eau, pousse et soulève !!

– Hé, les garçons, arrêtez ! J'ai le mal de mer ! criait Julia.

– Oh, ça va !

– Tu nous envoies droit sur les récifs, Jason ! vociféra Julia.

– T'as qu'à essayer, si tu te crois plus douée ! s'emporta son frère.

Et il se redressa d'un bond. Son genou heurta la rame et le garçon faillit basculer par-dessus bord. Il se rattrapa tant bien que mal et, vacillant, regagna la proue. Une fois assis, il réalisa que sa sœur n'exagérait pas.

Les écueils étaient maintenant très proches. Le garçon pouvait déjà entendre l'eau s'infiltrer entre les deux «Ailerons de requin» en émettant d'effrayants bruits d'aspiration.

– On va se fracasser contre les rochers ! répéta Julia en apercevant entre deux vagues les tourbillons à la surface de l'eau.

– Ne t'inquiète pas ! la rassura Rick.

Il saisit les avirons et commença à ramer de toutes ses forces à contre-courant :

– Je vais nous sortir de là.

Mais Rick avait beau se démener, l'*Annabelle* ne s'éloignait pas des récifs. La panique s'empara progressivement du garçon.

– Allez ! s'encouragea-t-il.

Il accéléra la cadence. Mais, à chaque longueur gagnée à la sueur de son front, le courant en prenait trois d'avance.

– Rick ! On fonce dessus !

Les «Ailerons de requin» n'étaient plus qu'à une dizaine de mètres d'eux. Le plus proche du rivage pointait hors de l'eau, acéré et menaçant. Il portait bien son nom. Le relief du deuxième écueil, en revanche, avait été aplani par les vagues et ressemblait davantage au dos d'une tortue.

Rick tenta une dernière fois de redresser la barque, mais on avait l'impression que, depuis l'intervention de Jason, elle avait été happée par un courant qui la jetait inexorablement contre les récifs.

En fils de marin, Rick ne fut pas long à prendre sa décision.

« Si tu ne peux pas lutter, accompagne le mouvement. » Il venait de se souvenir d'une phrase que son père lui répétait souvent.

Il arrêta de ramer et laissa l'embarcation se glisser dans la veine du courant. L'*Annabelle* fila vers les Ailerons.

– Au secouours ! hurla Julia.

Jason, de son côté, était livide.

Rick souleva les rames, tourna la tête vers les rochers et attendit. Au moment où le flanc droit de l'embarcation allait s'encastrer contre le premier écueil, une vague souleva la barque. Du bout de son aviron droit, Rick repoussa l'obstacle de toutes ses forces et accompagna le mouvement de la vague. La barque fut propulsée hors du courant et rejetée vers la côte.

Rick reprit aussitôt les rames et sortit la frêle embarcation de la dangereuse passe. Il ramait avec l'assurance d'un vieux loup de mer et transpirait à grosses gouttes.

– Oufff ! souffla Jason. On a eu chaud !

– Je t'avais pourtant dit que je savais ramer, hein ? lui lança son ami, le sourire aux lèvres.

Julia éclata d'un rire nerveux. Elle avait retenu sa respiration pendant de longues minutes :

– Au retour, on fera le grand tour, d'accord ?

– Demande plutôt à ton frère de se tenir tranquille !

– Oh, ça va ! répliqua Jason, les yeux rivés sur le village qui se rapprochait.

Il pouvait désormais nettement distinguer les maisons en vieilles pierres.

Sa sœur, elle, contemplait la falaise et la côte déchiquetée. Le seul souvenir de la chute de Manfred à cet endroit lui glaça le sang.

Quelque chose d'étrange coincé entre les buissons et la roche attira soudain son attention :

– Hé, regardez ! C'est quoi là-bas ?

Rick mit sa main en visière et plissa les yeux, laissant la barque se faire chahuter par la houle :

– On dirait une voiture...

– Ou plutôt un 4 × 4 de rallye, rectifia Jason. Du moins, ce qu'il en reste !

– Mais qu'est-ce qu'il fait dans un endroit pareil ? s'étonna Julia.

– Je ne sais pas... Quelqu'un a peut-être essayé de le pousser à l'eau et n'y est pas arrivé...

–On peut se rapprocher, si vous voulez, proposa Rick.

Il se mit à manœuvrer la barque d'une seule main pour l'orienter dans la bonne direction.

–Non, non! On se fiche de cette voiture! On va à la gare, comme prévu! décida Jason.

Trois quarts d'heure plus tard, le trio accostait sur la plage de la baie aux Baleines. Les enfants tirèrent l'*Annabelle* au sec et se dirigèrent vers l'auberge *Au Grand Large*. Ils passèrent devant la statue du roi d'Angleterre, William V, qui n'avait jamais existé, et remontèrent la rue Pempley jusqu'en haut.

Un escalier les conduisit sur une grande esplanade envahie par les mauvaises herbes. À son extrémité se dressait un imposant bâtiment encadré par deux pavillons latéraux et surmonté d'un pavillon central : l'ancienne gare.

Les fenêtres étaient fermées, la porte avait l'air condamnée et l'horloge au-dessus de l'entrée principale était arrêtée.

L'endroit était balayé par le vent, qui charriait des grains de pollen et des pétales de fleurs.

–Bienvenue à la gare de Clark Beamish! lança Rick en guidant ses amis vers l'entrée. Enfin, à la gare désaffectée de Kilmore Cove!

Le nez en l'air, les jumeaux admiraient la façade néoclassique. Son pavillon central abritait sous une immense arcade une verrière en demi-lune, où un groupe de corbeaux avaient élu domicile.

– Attends un peu..., réagit Jason en sortant une feuille de sa poche. Comment s'appelle-t-elle ?

– La gare de Clark Beamish. C'est le nom du premier chef de gare de Kilmore Cove.

Jason serra les poings, l'air victorieux, et raya une des portes du temps de sa liste :

– Ouaiiis ! Vous vous souvenez de la liste des portes dressée par Raymond Moore ?

– Hum, humm...

– Eh bien, on vient de trouver la ferme Beamish ! Il y a donc une porte du temps ici même ! Et qui sait si Black Volcano n'émettait pas des billets d'un genre un peu particulier...

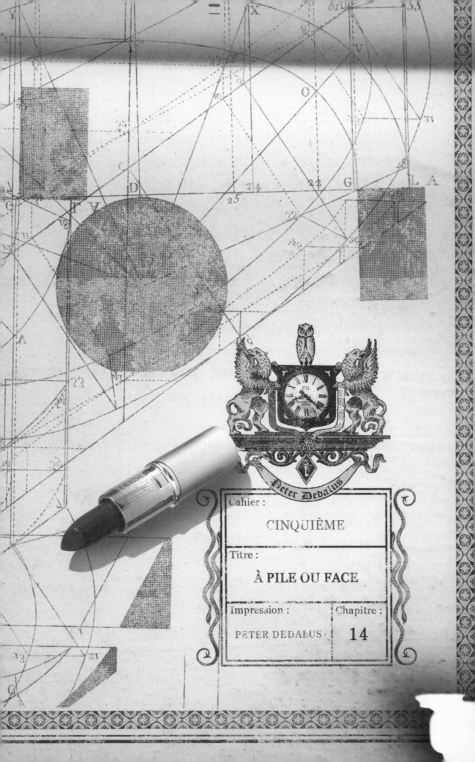

Cahier :

CINQUIÈME

Titre :

À PILE OU FACE

Impression :

PETER DEDALUS

Chapitre :

14

*A*ssis dans la curieuse gondole à pédales, Peter Dedalus et Olivia remontaient les canaux du quartier de Cannaregio. Aucun des deux passagers ne parlait. L'horloger, ombrageux, regrettait de s'être montré aussi bavard. Quant à Olivia, elle ne pensait qu'à une seule chose : la porte de la Villa Argo.

Elle avait oublié sa fatigue et était impatiente de rentrer à Kilmore Cove. Elle avait déjà élaboré toutes sortes de plans pour rentrer de force dans la villa et envisageait même un braquage. Elle devait auparavant s'assurer que Manfred sache bien manier une arme, comme il l'avait affirmé lors de son entretien d'embauche.

Mais, avant tout, Olivia devait jouer son retour à pile ou face et se débarrasser de Peter au plus vite.

Après avoir suivi un parcours digne d'un véritable labyrinthe, Olivia reconnut enfin les abords de la Porte du Temps. Ils étaient revenus rue de l'Amour-des-Amis.

– Ce n'est pas trop tôt ! lâcha-t-elle, exaspérée. J'ai bien cru qu'on n'arriverait jamais. Quelle heure est-il ?

Peter jeta un coup d'œil à sa montre :

– Midi. Sais-tu que toutes les montres s'arrêtent sur le seuil de la Porte du Temps... sauf les miennes ?

– Vraiment ? Si j'avais su, j'en aurais volé une ou deux lors de ma petite visite dans ta boutique.

– Quoi ? Tu as réussi à ouvrir la grille ?

– Hum, humm, répondit Olivia énigmatique. Enfin, disons que j'ai dû percer une entrée.

L'horloger se mordit la lèvre jusqu'au sang.

– Allez, ce n'est pas grave, mon chéri ! Si tu remportes la partie, tu pourras revenir ranger ton atelier. À propos, où est le ducat ?

Peter sortit le sequin de sous son manteau :

– On ne joue qu'une seule fois. *Pile*, tu rentres. *Face*, tu...

– Non, *face*, je rentre ! l'interrompit Olivia.

– Non..., marmonna Peter, visiblement pris de court. J'avais décidé que...

– *Face*, je rentre. *Pile*, je reste. Un point, c'est tout ! trancha Olivia.

– On fait comme j'ai dit, insista le petit homme dont le front perlait. J'y tiens.

Olivia se redressa tel un ressort, déstabilisant la gondole, et se jeta sur Peter. Elle le saisit au collet :

– Ah oui ? Quel curieux hasard, monsieur le Génie !

Elle s'empara de la pièce d'or et la lança négligemment dans la coque :

– De quel côté est-elle retombée ? Sur *face* ? Mais quelle heureuse coïncidence !

– Olivia, je...

Olivia ramassa le sou et, sans détacher son regard de celui de Peter, le fit de nouveau rouler dans le fond de la barque :

– Et cette fois ? Voyons voir ! Extraordinaire ! Elle est retombée du même côté. Tu te rends compte ? Dis-moi, mon chéri, ce ne serait pas une pièce truquée ?

Et elle poussa violemment Peter vers la poupe :

– Tu pensais vraiment pouvoir m'arnaquer ? Comment as-tu osé me traiter de la sorte ?

– Mais comment as-tu devi...

– Un petit conseil : ne laisse jamais une pièce truquée à la portée d'une tricheuse expérimentée.

Olivia se mit à rire :

– Lorsque tu m'as proposé de jouer au café, j'ai fait quelques essais sur le baril, mine de rien. La pièce se retrouvait toujours sur *face*. Enfin, quoi qu'il en soit, j'ai gagné. Au revoir, Peter !

Olivia glissa le sequin dans sa poche. Elle attrapa la corde qui retenait la gondole à l'anneau d'amarrage et s'apprêta à monter sur le quai.

– Non ! hurla alors Peter.

Il se jeta de tout son corps sur les chevilles de la jeune femme et les enserra :

– Je ne te laisserai pas partir !

– Peter ! brailla Olivia. Qu'est-ce que tu fabriques ?

Elle essaya de se libérer, mais il ne lâchait pas son emprise. À force de se débattre, elle fit dangereusement tanguer l'embarcation.

Leur lutte dura une bonne minute. Puis Olivia, qui suivait des cours de boxe thaïlandaise, finit par avoir le dessus. Elle se dégagea et décocha à Peter Dedalus un double coup de pied au menton.

L'horloger tomba à la renverse, heurta le bord de la gondole et bascula dans l'eau, sans même avoir le temps de pousser un cri.

Olivia se hissa sur la rive. Victorieuse, elle se retourna vers Peter :

– À bientôt, mon chéri !

Sans attendre de réponse, elle disparut en ricanant dans la ruelle étroite encadrée par deux imposants palais médiévaux. Elle n'eut aucun mal à retrouver l'entrée de la pièce obscure et déplaça la coque de gondole qui masquait la porte du temps. Elle ouvrit et referma le battant.

Elle était rentrée à Kilmore Cove.

– Manfred ? cria Olivia. Ouh, ouh ! Maaaannnfred !

Rien.

Elle monta au rez-de-chaussée de la Maison aux miroirs et traversa les pièces vides et poussiéreuses. Une odeur rance lui souleva le cœur.

– Mais où es-tu passé, bon sang ?! fulmina-t-elle.

À chaque fois qu'elle rentrait de voyage, ce fainéant n'était pas là !

Elle s'arrêta au milieu du salon. Elle se sentait observée.

– Manfred, c'est toi ? demanda-t-elle d'une voix hésitante.

Elle fit volte-face. Une chouette, perchée sur les marches de l'escalier principal, la fixait de ses grands yeux d'or.

– Qu'est-ce que tu veux, toi ? l'agressa Olivia, gênée par ce regard perçant.

L'oiseau ne broncha pas.

Olivia se baissa pour ramasser un morceau de plâtre tombé du plafond et visa l'animal. La chouette s'enfuit à l'étage supérieur.

Enfin seule, la jeune femme reprit son exploration. Le battant de la porte d'entrée qui s'était écroulé sur la tête de Manfred gisait encore par terre au milieu d'une poussière blanche.

Une fois dehors, Olivia ne se sentit guère plus rassurée. Le paysage l'oppressait : ces collines à perte de vue et leurs ridicules moulins à vent qui tournaient sans interruption. Dans la cour, le spectacle n'était que désolation : la pelleteuse de l'entreprise CYCLOPS était couchée sur le flanc. Quant à sa moto, elle avait les deux pneus crevés.

Olivia se mit à hurler :

– MAAANFRED ! Où diable as-tu disparu, espèce d'incapable ?

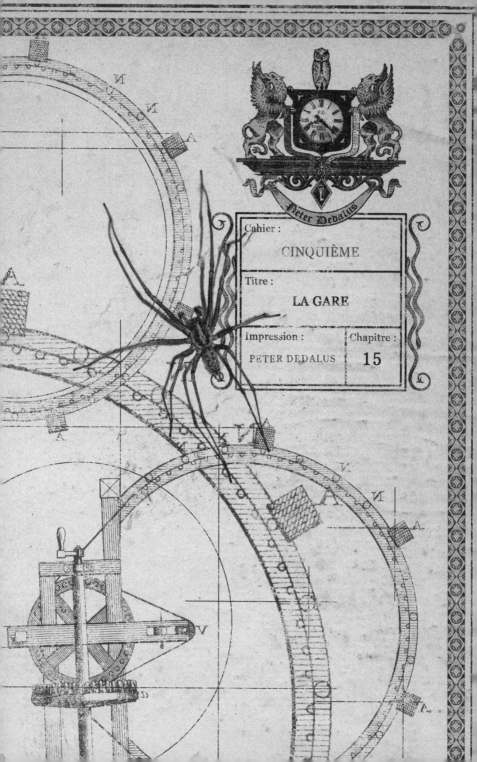

Cahier :

CINQUIÈME

Titre :

LA GARE

Impression :

PETER DEDALUS

Chapitre :

15

L'entrée principale de la gare était protégée par une lourde chaîne cadenassée. Rick, Jason et Julia firent le tour du bâtiment à la recherche d'une autre issue. Mais, rapidement, l'édifice austère et poussiéreux leur apparut comme un bloc de pierre impénétrable. Ils décidèrent donc d'aller explorer les quais. Ils étaient déserts ; les fils électriques qui alimentaient les motrices tressautaient dans le vent, privés de courant. La voie unique passait à droite devant une citerne en forme d'entonnoir renversé et à gauche devant de vieilles cabanes en tôle, avant de se diviser en plusieurs branches. D'un côté comme de l'autre, les rails disparaissaient rapidement derrière les collines.

– Où s'arrêtent les rails ? demanda Jason.

– À l'est, dans le tunnel creusé sous les collines aux trèfles, expliqua Rick. Et, à l'ouest, ben... ils mènent aux bois du domaine du Paradis rose et aux collines autour de la Maison aux miroirs.

– Et au bout des voies, qu'est-ce qu'il y a ?

– Après ? Je n'en sais rien. Probablement un gros tas de terre.

– Ou un train.

– Ça m'étonnerait. Je crois qu'il ne reste pas un seul wagon depuis que la ligne est fermée.

– Je vais aller jeter un œil dans le tunnel, décida Jason.

Il s'agenouilla et toucha les rails : l'acier était chaud et vibrant.

– C'est loin d'ici ?

– Tu vois cette colline là-bas ? fit Rick en pointant du doigt une butte parsemée de buissons et de gros rochers. C'est là-dessous.

– Attends une minute, Jason ! l'arrêta Julia. Qu'est-ce que tu imagines trouver ?

– Aucune idée. De toute façon, tu m'avais demandé de vous laisser seuls...

Piquée au vif, Julia se raidit. Son visage passa par toutes les couleurs de l'arc-en-ciel. Rick lui tournait le dos. Le regard rivé sur la façade, il examinait l'édifice et semblait ne pas avoir entendu.

Jason s'éloigna en ricanant, laissant sa sœur en proie à la plus grande confusion.

– Jason raconte n'importe quoi ! s'empressa de dire Julia en rejoignant Rick.

– Peu importe ! répondit le garçon tout en fixant un point imaginaire entre le toit et le ciel.

Il marchait au hasard, faisait semblant de repérer un moyen de rentrer dans la gare, et tentait lui aussi

de masquer sa gêne. En réalité, Rick était troublé. Si Jason avait ainsi provoqué Julia, cela signifiait que les jumeaux avaient parlé de lui. Ou, plus exactement, que Julia s'était confiée à son frère. Que lui avait-elle raconté ? Lui avait-elle avoué qu'il l'avait embrassée ?

— Tu n'as pas mal ? lui demanda soudain Julia.

— Quoi ? bredouilla-t-il en croisant son regard.

— Ça ne te griffe pas ?

Ce n'est qu'à ce moment-là que Rick s'aperçut que, dans son égarement, il s'était empêtré dans un buisson de ronces. Il regarda, impuissant, ses jambes couvertes d'épines. Comment avait-il pu se mettre dans une situation pareille ? Et son cœur qui s'emballait comme un fou !

— Ah ! Euh… Non. Ça va ! réussit-il à articuler, dans un sursaut d'orgueil. Je me suis mis là, car c'est le meilleur endroit pour observer le toit et la verrière, ajouta-t-il pour paraître plus convaincant.

Julia leva le nez, mais, ne remarquant rien de spécial, déclara :

— Oui, et alors ?

— Ben… euh, rien… Décidément, il n'y a aucun moyen de se faufiler dans ce bâtiment.

Le garçon souleva légèrement le pied droit, mais, aussitôt, les aiguillons lui lacérèrent le mollet. Il ne s'arrêta pas pour autant et serra les dents. Il recula méthodiquement, un pied après l'autre, et finit par sortir du piège.

Des égratignures rouge sang quadrillaient ses deux chevilles.

À son retour, Jason trouva Julia et Rick en train d'essayer d'arracher les planches placardées sur la porte latérale menant aux guichets.

Rick avait réussi à faire sauter quelques clous rouillés et, tout en soufflant comme un bœuf, secouait d'avant en arrière une latte d'un mètre de haut.

– Je n'ai rien trouvé, expliqua Jason, les chaussures pleines de rouille. Le tunnel est complètement vide. Enfin, c'est plutôt une galerie sans issue percée sous la colline. Et vous, quoi de neuf ?

– Pas grand-chose, mis à part ces deux vieux clous, fit Julia en les lui remettant.

– On va avoir besoin d'outils pour rentrer là-dedans..., annonça Rick.

– Tu n'as rien emporté ? s'étonna Jason. Même pas ta corde ?

Rick réalisa avec stupeur que, pour la première fois, il était parti sans son sac à dos :

– Non... Non, je ne l'ai pas prise. Ni *Le Dictionnaire des langages oubliés*, d'ailleurs, et ni...

– Quoi ? On s'est lancés sur la piste de Black Volcano sans emmener de matériel ? s'écria Julia. Comment peut-on être aussi bêtes ?! Décidément, aujourd'hui, on manque totalement d'organisation !

– Je te rappelle que le proviseur a toujours mes affaires, fit remarquer Jason.

– On n'a qu'à repasser chez moi et prendre le minimum, proposa Rick.

– C'est tout de même idiot de s'en aller maintenant, râla Jason.

– On n'en a pas pour longtemps.

Jason réfléchit :

– Dis, Rick, Black habitait bien là ?

– Oui, au premier étage.

– Je ne comprends pas... Nestor nous a raconté qu'il adorait jouer avec le feu...

– Où veux-tu en venir ?

– Il ne pouvait pas faire du feu juste au-dessus de la gare. Ça paraît invraisemblable, non ?

– Tu as raison.

– Son atelier devait donc être plus loin, conclut Jason en balayant du regard les environs. Et ces cabanons, là-bas, en bout de quai ? À quoi ils servent ?

Il ne laissa pas le temps à Rick et à Julia de répondre et se dirigea vers le quai d'un pas décidé.

Le trio s'arrêta devant la première cabane. On aurait dit un abri de jardin, tout au plus. Ses plaques de tôle rouillées étaient couvertes de traînées marron. À l'intérieur régnait un joyeux désordre : de la poussière, des morceaux de verre cassés, un bric-à-brac au milieu duquel Jason dénicha une vieille lampe à pétrole et un briquet.

Le deuxième cabanon, en revanche, les intrigua davantage. Entièrement en béton, il était doté d'une immense cheminée noire de suie. Un imposant cadenas protégeait la porte d'entrée, et d'épais volets étaient rabattus sur l'unique fenêtre.

– On n'est pas plus avancés ! observa Rick. Tout est fermé.

– Pas si sûr..., lâcha Jason.

Et il se mit à le contourner. Julia, elle, était restée en retrait et étudiait avec soin le conduit de la cheminée :

– Attendez, il y a peut-être un moyen de rentrer...

Rick s'agrippa au conduit de la cheminée et se pencha pour regarder à l'intérieur :

– C'est assez large. On peut passer à deux.

Il lança un caillou qu'il avait ramassé sur les voies et l'entendit rouler dans la pièce.

– La trappe est ouverte, en conclut Jason.

– C'est donc possible de s'introduire par là ? demanda Julia.

Rick haussa les épaules :

– C'est faisable. Sauf qu'on n'a pas de corde... et si on se glisse là-dedans, on va ressortir noirs de suie !

– Ah, non merci ! J'ai déjà donné hier et je n'ai pas envie de me refaire sermonner par ma mère ! déclara Jason.

– Moi aussi, j'ai eu ma dose, renchérit Julia.

– Ah, non ! comprit soudain Rick. Ce n'est pas moi qui y vais ! Je préfère défoncer le mur à coups d'épaule !

– S'il te plaît, Rick..., susurra Julia.

– Ça n'a pas l'air profond, ajouta Jason.

– Ce n'est pas ça le problème.

– Je sais ! On va fabriquer une corde en nouant nos tee-shirts... et on va t'assurer, déclara Jason.

– Ça ne marchera jamais !

– Je ne vois pas d'autres solutions.

– On n'a qu'à renoncer !

– Écoute, Rick, il y a peut-être des choses importantes à l'intérieur. N'oublie pas que le temps presse :

Julia et moi avons promis à Nestor de rentrer à l'heure.

– Inutile d'insister : je ne descendrai pas, un point, c'est tout !

– T'es prêt ? demanda cinq minutes plus tard Jason, juché à son tour sur le toit.

Rick était assis sur le rebord de la cheminée, les deux pieds dans la hotte. Il affichait un air résigné :

– Je vous le répète, c'est une idée stupide !

Julia, qui était montée elle aussi, lui sourit :

– Allez ! Ça va peut-être nous mettre sur la piste des clefs... ou plutôt de la Première Clef.

– J'aimerais vous y voir ! dit Rick en scrutant le trou noir. On ne sait pas ce qu'il y a là-dessous ! Je vais me briser la colonne ou m'empaler sur un objet pointu !

– Sur une lance médiévale, pendant que tu y es ! ironisa Jason.

– Oh ! Si ça t'amuse autant, Jason, tu n'as qu'à descendre !

– Hé, ça suffit, les garçons ! intervint Julia. Soit on s'y met maintenant soit on abandonne.

Rick et Jason se regardèrent.

– OK, j'y vais ! soupira Rick en prenant appui sur le bord de la cheminée.

Julia se pencha vers lui et l'embrassa sur la joue :

– Merci, Rick !

Et elle lui murmura dans le creux de l'oreille pour éviter que son frère l'entende :

– Et merci de m'avoir sauvée de l'incendie hier, sur l'île aux Masques...

Rick devint cramoisi. Il pouvait sentir le souffle de Julia sur son oreille. La jumelle ne bougeait plus, comme si elle venait d'apercevoir quelque chose dans son dos.

– Hé, les amoureux ! protesta Jason. Ce n'est pas le moment ! On a du boulot !

– Il y a quelqu'un..., chuchota Julia en s'écartant.

Elle désigna l'esplanade envahie par les mauvaises herbes.

Jason et Rick firent volte-face : un homme s'approchait de la gare, traînant les pieds dans la poussière.

– Qui est-ce ?

– Qu'est-ce qu'il fait là ?

Jason sauta à terre, imité par Julia. Rick bondit hors du conduit et rejoignit les jumeaux.

Au fond de la hotte, une araignée abandonna sa toile, gênée par les vibrations des parois. Ses huit pattes velues se hissèrent sur la pointe de la lance posée dans l'âtre de la cheminée et redescendirent le long du manche. Elle parcourut les quelques mètres qui la séparaient de l'armure médiévale appuyée contre le mur puis remonta doucement la jambière.

D'autres araignées se balançaient au bout de leur toile tissée dans les jointures de la cuirasse ; d'autres déambulaient sur le vieux casque rouillé.

L'araignée gagna enfin le mur et entama une longue ascension jusqu'à un gros trousseau de clefs suspendu à un clou. Elle le fit légèrement bouger et fabriqua de nouveaux fils de soie pour piéger ses proies.

Cahier :

CINQUIÈME

Titre :

LE PLAN

...sion : | Chapitre :
...DALUS | **16**

*U*ne grande femme mince vêtue d'une combinaison de motard noire remontait la route côtière de Kilmore Cove, pieds nus. Elle tenait ses chaussures à la main et était furieuse. Cela faisait environ une heure qu'elle marchait et elle ne sentait plus ses pieds, meurtris par les petits cailloux pointus.

– Tu vas me le payer, Manfred ! Fais-moi confiance !

Un soleil de plomb lui tapait sur le crâne, et, à chaque fois qu'elle s'essuyait le front, elle jurait de plus belle. Mais elle continuait d'avancer, coûte que coûte.

Elle ne s'arrêtait que rarement, au niveau d'un virage, pour vérifier la distance qu'elle avait parcourue et guetter une éventuelle voiture. Mais, aujourd'hui, personne ne passait sur l'unique axe qui reliait Kilmore Cove au monde extérieur.

À Venise, elle avait essayé d'évaluer les problèmes qu'elle aurait à résoudre à son retour, mais elle était loin de se douter que son homme à tout faire allait lui en poser un supplémentaire. Elle croyait retrouver Manfred en train de lire les résultats du tiercé ou de somnoler dans un coin de la Maison aux miroirs.

Or, il s'était littéralement évaporé.

À défaut de chauffeur, Olivia avait d'abord pensé revenir en moto jusqu'au domaine du Paradis rose, quitte à abîmer les jantes des roues crevées. Seulement, elle n'avait pas les clefs.

Elle avait donc dû se résoudre à y aller à pied.

Olivia longea un bosquet d'arbres exotiques. Elle n'était plus très loin de chez elle désormais. Elle accéléra la cadence, tout en se complimentant de sa forme olympique, due à des heures d'entraînement sur son vélo d'appartement multifonction.

– Pfou ! Les marathoniens de New York n'ont qu'à bien se tenir ! lâcha-t-elle quand elle aperçut l'architecture futuriste de sa villa en béton qui se profilait sur le flanc de la colline.

De loin, sa maison ressemblait à une soucoupe volante violette.

Olivia se félicita de ne pas avoir confié les clefs de chez elle à cet imbécile de Manfred et s'approcha du portail. Lorsqu'il s'ouvrit sur un *bzzz* électrique rythmé par un feu jaune clignotant, elle jubila :

– Je suis rentrée ! Je suis RENTRÉE ! scanda-t-elle en empruntant la petite allée qu'aucun massif n'égayait.

Arrivée devant le garage, elle remarqua la porte ouverte.

– MANFRED ! cria-t-elle, pleine d'espoir.

Peine perdue! Le garage était vide. Tout son parc automobile avait disparu : la voiture de course noire, la Dune Buggy... et la remorque pour chevaux.

– Où sont-elles passées? Où diable sont-elles?! vociféra-t-elle.

Elle entra dans une telle rage qu'elle oublia de neutraliser l'alarme avant de monter à l'étage. Elle n'avait pas fait trois pas dans la cuisine qu'une sirène se mit à hurler. Le volume était si élevé qu'il aurait rendu fou n'importe quel cambrioleur. Au même moment, des rayons laser infrarouges balayèrent toutes les pièces.

– Malheur! hurla Olivia. Tu vas t'arrêter, satanée...! Arrête-toi, saleté!

Elle redescendit au garage et décrocha la télécommande fixée au mur. Au lieu d'appuyer sur la touche «off», elle la massacra littéralement avec son poing jusqu'à ce que l'alarme se taise et que les lasers s'éteignent.

Elle poussa un profond soupir de soulagement, regagna la cuisine, ouvrit le frigo et attrapa enfin sa boisson préférée: «Orange-carotte-citron, 100 % pur jus, sans sucre ajouté.»

Il lui fallut une bonne demi-heure pour se calmer. Revêtue d'un vaporeux déshabillé de soie, elle s'assit au salon autour de la table en cristal. Le baume aux huiles essentielles qu'elle avait réparti sur sa chevelure sentait la lavande. Sur son visage et son cou, il y avait encore des traces du sérum anti-rides qu'elle venait d'appliquer. Sur la table trônait un verre en cristal rose rempli d'un breuvage à base de sels minéraux. Elle s'obligea à le boire jus-qu'à la dernière goutte et à continuer de réguler sa respiration.

– Bon ! fit-elle encore choquée. Par quoi vais-je commencer ?

Sa priorité du moment restait inchangée : pénétrer dans la Villa Argo. Mais, désormais, une autre tâche lui tenait à cœur : retrouver Manfred et lui faire payer ses écarts de conduite.

Olivia essaya de se rappeler où elle avait rangé les coordonnées du bureau de placement des anciens prisonniers. C'était par leur intermédiaire qu'elle avait engagé Manfred.

« Rien de mieux qu'un ancien détenu pour vous remettre les idées en place ! » pensa-t-elle.

Elle s'approcha du téléphone et chercha son répertoire. Son regard fut alors attiré par le voyant du répondeur.

Vous avez trois messages.

Message un...

«Bonjour, madame Newton!» la salua une voix vaguement familière. «Excusez-moi de vous déranger. C'est Gwendoline Mainoff à l'appareil...»

«Ça me dit quelque chose», pensa Olivia.

«... La coiffeuse. Enfin, votre coiffeuse.»

«Ah, oui! se souvint Olivia. Vous n'êtes pas MA coiffeuse mais celle de tout le village!»

«Je voulais vous prévenir que votre chauffeur se repose chez moi...»

Les grands ongles violets d'Olivia se plantèrent sur le bouton «pause».

– Quoi? fit-elle avant de relâcher sa pression.

«... enfin, j'imagine que c'est bien lui. Il parle de vous, ou plutôt il délire à cause de la fièvre. Je crois qu'il a pris froid. Il faut dire que, quand je l'ai récupéré sur la plage hier soir, il était trempé jusqu'aux os. Et...»

Message deux...

«C'est encore moi, désolée! J'ai été coupée. Je sais, je suis trop bavarde... Je voulais vous dire que vous pouvez venir le chercher quand ça vous arrange. Je lui ai donné de l'aspirine et il s'est endormi. Je l'ai installé sur mon canapé. Vous savez où j'habite? Au-dessus du salon...»

Message trois...

« C'est la dernière fois, promis ! J'ai oublié de vous préciser : j'ai un rendez-vous à dix-huit heures. J'ai été appelée pour une coupe à domicile. Je ne peux pas refuser : c'est une nouvelle cliente. Mme Covenant, vous la connaissez ? La nouvelle propriétaire de la maison de la falaise. Donc, pas après dix-sept heures trente. Excusez-moi encore pour le dérang... »

Biiip... Fin de vos nouveaux messages.

Olivia Newton se redressa.

Tout d'un coup, seul le dernier appel de la coiffeuse comptait.

Cela ne l'intéressait plus de comprendre comment Manfred avait échoué sur la plage ni pourquoi Gwendoline Mainoff l'avait ramené chez elle. Elle se fichait de savoir ce que son chauffeur avait pu raconter sous l'emprise de la fièvre et ce que la coiffeuse avait pu retenir.

Elle n'avait plus qu'une idée en tête : aller chez Mme Covenant. À la Villa Argo. À dix-huit heures.

Son imagination s'enflamma. Imperceptiblement, ses lèvres esquissèrent un timide sourire. Puis Olivia émit un premier gloussement, suivi d'un second. Les muscles de ses joues se détendirent d'un coup et elle éclata d'un rire franc et libérateur. Secouée de spasmes, la tête rejetée en arrière, elle s'esclaffait à en perdre le souffle.

– Mais... c'est... génial! fit-elle en tapant dans ses mains. Oh, Manfred... tu sais que parfois tu me surprends!

Olivia se dirigea vers la salle de bains. Elle imbiba un coton de démaquillant, fit disparaître les coulées de mascara mauve sous ses yeux et ôta son peignoir.

– À nous deux, Villa Argo! cria-t-elle victorieuse, en s'admirant dans la glace.

L'image que le miroir lui renvoya était tout à fait conforme à ses souvenirs. Elle n'avait pas changé. Elle avait une ligne parfaite, contrairement à ce que pensaient les Vénitiens.

– Une bonne coupe de cheveux, j'ai une excuse pour m'introduire chez les Covenant!

Elle fit coulisser la porte laquée de sa penderie et chercha une tenue simple et pratique. Elle descendit dans la chambre de Manfred, ouvrit son armoire, prit une chemise blanche, un pantalon crème à rayures noires et sa casquette de baseball. Elle disposa le tout sur le lit:

– Voilà qui conviendra parfaitement à un apprenti coiffeur!

Elle pensa même à lui prendre une paire de lunettes de soleil de rechange.

Elle fourra le tout dans un sac à dos, revint au garage et, à défaut d'autre chose, ressortit ses vieux rollers rangés au fond d'un carton.

Elle les enfila quelque peu hésitante et se lança sur l'asphalte, raide comme un piquet.

Elle était tellement impatiente de mettre sa stratégie en œuvre qu'elle oublia de fermer le portail.

Elle se voyait déjà sonnant à la grille de la Villa Argo aux côtés de Gwendoline Mainoff et de son nouvel apprenti...

– Ça, c'est un plan de génie! un plan imparable! ne put-elle s'empêcher d'ajouter, en se laissant glisser sur la route les mains sur ses genoux pliés, le dos rond.

Cahier :

CINQUIÈME

Titre :

LE RÉPARATEUR

Impression :

PETER DEDALUS

Chapitre :

17

*L*a silhouette traversa l'esplanade de la gare d'une démarche molle. Ce n'était autre que Fred Doredebout, l'employé municipal que Rick avait rencontré la veille aux Archives de Kilmore Cove. Gêné par sa grande taille, il marchait le dos voûté, les yeux rivés au sol et ne s'était pas aperçu de la présence des enfants.

Le trio le rejoignit devant le pavillon central de la gare de Clark Beamish.

– Hé ! Bonjour, les enfants ! fit-il, surpris. Qu'est-ce que vous faites dans le coin ?

– Oh… euh… rien de spécial, répondit Rick. Je voulais leur montrer l'ancienne gare, fit-il en désignant les jumeaux.

– Ah, je comprends ! marmonna le fonctionnaire.

Il fourra les mains dans les poches de son pantalon trop court et farfouilla un moment. Il en sortit un bâton de réglisse sur lequel plusieurs pièces de monnaie étaient venues se coller.

– Ça vous dit ?

– Non, merci ! s'exclamèrent en chœur les trois enfants.

Fred coinça le bâton entre ses dents et continua de chercher. Il extirpa une collection impressionnante d'objets hétéroclites ainsi qu'un journal sportif qu'il cala sous son bras.

– Ah, enfin ! lança-t-il.

Il brandit victorieux un trousseau de clefs.

Il remit ses trésors dans ses poches avec une lenteur exaspérante. Se rappelant qu'il n'était pas seul, il lança :

– Quel bon vent vous amène ?

– Et vous ? lui répliqua Julia, agacée.

Fred avait levé la tête et, les yeux plissés, fixait quelque chose au-dessus de la porte d'entrée :

– Ouh ! Il va falloir que je colmate cette fissure, là, sous l'horloge...

Il fit tinter ses clefs et s'approcha du cadenas qui bloquait le passage. Se souvenant soudain de la question de Julia, il ajouta :

– Moi ? Je viens faire mon boulot.

Il essaya plusieurs clefs dans la serrure, avant de trouver la bonne.

Une fois le cadenas ouvert, Fred retira la chaîne, posa une main sur le battant et secoua de l'autre la porte grippée.

– Mais vous ne travaillez pas à la mairie ? s'étonna Rick.

Fred donna un léger coup de pied contre le bois qui s'écarta, lui laissant tout juste la place de se faufiler.

– Ah, si seulement je ne faisais que ça, mon garçon ! Les temps sont durs. Si je n'avais pas un petit boulot, les fins de mois seraient terribles !

– On peut entrer avec vous ? demanda Jason, au moment où le fonctionnaire disparaissait dans l'entrebâillement.

– Bien sûuuurrrrr ! Venez doooonc ! résonna la voix de Fred Doredebout.

Jason, Julia et Rick pénétrèrent enfin dans l'ancienne station de chemin de fer de Kilmore Cove. La porte s'ouvrait sur une vaste salle baignée de lumière. Son toit n'était en fait qu'une grande verrière soutenue par une charpente en fer et des arceaux. Au centre, un grand lustre accueillait entre ses branches recourbées plusieurs nids d'oiseaux. Deux lianes de lierre s'y étaient également attachées et se balançaient dans le vide.

Leurs pas résonnèrent dans cet immense bâtiment désert. Il faisait chaud et humide, comme à l'intérieur d'une serre. De minuscules fleurs jaunes avaient çà et là envahi le sol.

Le hall était entouré d'élégantes arcades autrefois éclairées par des lampes à globe. Sur la droite se trouvaient le guichet et son comptoir en marbre rosé, sur la gauche, plusieurs bancs en fer forgé sous lesquels de curieux champignons orange vif avaient poussé.

Un kiosque à journaux au rideau baissé complétait le décor.

Pour accéder au quai, il fallait passer sous un imposant panneau d'affichage. En fer forgé, orné de motifs floraux, il gémissait au bout de ses chaînes, chahuté par les courants d'air.

Les enfants observaient chaque détail de l'architecture pendant que Fred se dirigeait lentement vers le guichet.

– Quel drôle d'endroit ! finit par lancer Jason.

– Je parie que personne n'a mis les pieds ici depuis longtemps...

– Excepté Fred !

Le fonctionnaire avait ressorti son trousseau et cherchait la clef de la billetterie.

– Je me demande ce qu'il vient faire ici..., s'interrogea Jason.

Les trois enfants suivirent l'employé, tout en continuant à regarder partout.

Contrairement au reste du bâtiment, la billetterie était tout à fait ordinaire. C'était une petite pièce meublée avec simplicité : un comptoir sur lequel gisait un énorme fichier des horaires de trains, un fauteuil pivotant et une imprimante.

– On dirait que c'est Dedalus qui l'a fabriquée ! s'écria Rick, frappé par certains détails de la machine.

– J'en mettrais ma main à couper ! renchérit Jason.

Les deux garçons admirèrent les boutons ronds, semblables à ceux d'une vieille machine à écrire. Sur chacun figuraient d'étranges syllabes associées à des chiffres.

– Voilà encore un mécanisme incompréhensible !

Soudain, Julia poussa un cri. Rick et Jason se retournèrent :

– Qu'est-ce qui se passe ?

Le fichier s'était relevé de quelques centimètres.

– Je... je ne sais pas... Je l'ai frôlé... et il s'est redressé tout seul, bredouilla la jumelle, livide.

Rick se pencha et regarda sous le gros livre poussiéreux. Il était posé sur un support métallique noir soutenu par un bras articulé.

– Ne t'inquiète pas... C'est le porte-document qui est très sensible, la rassura Rick.

Il le poussa à son tour. Le fichier, tel un ressort, monta de plusieurs crans.

Julia sourit :

– C'est ça... Et toi, tu le trouves normal !

Ils regardèrent autour d'eux : Fred avait disparu. Il était passé dans la pièce voisine.

– On peut dire qu'il en circulait des trains par ici, nota Jason en soupesant la lourde couverture.

Il souffla sur la poussière et lut le titre :

*HORAIRES PERMANENTS
DE TOUS LES TRAINS
À DESTINATION DE / EN PROVENANCE DE /
TRANSITANT PAR KILMORE COVE À COMP-
TER DU 18 JANVIER 1936*

Il parcourut quelques pages. C'était une suite interminable de tableaux. Chacun comportait deux colonnes, une pour les arrêts et une pour les horaires, et était précédé du nom du terminus de la ligne précisé en caractères gras, du numéro du train, et parfois des mentions *train spécial*, *train normal* ou *ne circule que les dimanches et fêtes...*

Un bruit de tuyauterie retentit dans la salle à côté. Jason reposa les horaires et proposa à Rick et à Julia d'aller voir ce qui occupait Fred Doredebout.

Le fonctionnaire avait dévissé une plaque dans le mur et glissé la tête dans le trou.

– Ah, c'est vous ! lança-t-il en se retournant. Excusez-moi… mais j'ai quelques manipulations à faire.

Derrière lui, on apercevait une sorte de grille. Elle était composée d'une multitude de tuyaux métalliques imbriqués les uns dans les autres et équipés de robinets rouges et bleus.

Les enfants avaient abouti dans le poste de commande de la gare. Un tableau noir sur lequel était reproduit un circuit jaune occupait presque tout un pan de mur. Il représentait la voie principale et ses différentes branches identifiées par des numéros. Aux points d'intersection figurait un aiguillage miniature. Juste en dessous se trouvait une rangée de grands leviers gris et, sur leur droite, une grosse boîte carrée verte au couvercle relevé. Dotée d'une manivelle sur le côté, elle affichait quatre cadrans ronds.

Il devait s'agir du centre d'aiguillage de toute la région.

– Heureusement qu'on est dans une petite gare ! s'exclama Jason.

Cette gigantesque machinerie lui semblait complètement disproportionnée. Il avait pensé la même chose en découvrant le tableau d'affichage dans le hall et le fichier des horaires.

Fred Doredebout s'épongea le front :

– Je ne vous le fais pas dire !

– En quoi consiste votre travail exactement ? demanda Julia.

L'employé désigna les tuyaux et répondit le plus naturellement du monde :

– À tourner les vannes.

– Les vannes ?

– Si je ne le fais pas, personne ne s'en chargera !

Les enfants échangèrent des regards perplexes :

– À quoi ça sert ?

Fred se gratta la tête :

– À vrai dire, je ne me suis jamais posé la question. Je sais juste que, deux fois par semaine, je dois fermer les rouges et ouvrir les bleues.

– On dirait des conduites d'eau, fit remarquer Rick.

Il colla son oreille contre les tuyaux :

– Oui, oui, ça m'en a tout l'air.

Julia était la plus étonnée de tous :

– Ainsi, deux fois par semaine, vous venez jusqu'ici pour tourner les vannes... et vous repartez !

– C'est exact.

– Et vous ignorez pourquoi vous devez le faire...

– Vous savez, la plupart des gens travaillent sans se poser de questions.

– Excusez-moi d'insister, mais qui vous a chargé de cette mission ?

Fred soupira :

– C'est le vieux Black. Il me l'a demandé avant de partir.

Les trois enfants réagirent instantanément :

– Vous le connaissiez ?

– Bien sûr !

– Il vous a précisé où il allait ?

Fred réfléchit :

– Peut-être... mais j'ai oublié.

– S'il vous plaît !

– Ça remonte à plusieurs années !

– Faites un effort ! C'est très important !

Fred s'appuya contre le mur et bâilla :

– Oh, allez, après tout, je peux bien faire une pause ! Black... Voyons voir...

Le trio se taisait, pendant que le fonctionnaire essayait de se souvenir.

– Ah, oui ! Avant son départ, Black est venu me voir à la mairie. J'étais déjà au courant du projet de fermeture de la gare, parce qu'on avait reçu des tracts dans les boîtes aux lettres. Donc, quand il m'a annoncé qu'il quittait le village, cela ne m'a pas surpris. Comment peut-on continuer à être chef de gare sans trafic ?

– Effectivement, répondirent en chœur les enfants.

– Il m'a dit : « Doredebout, mon ami ! » On se connaissait depuis un sacré bout de temps : on était camarades de classe. De toute façon, on était tous à l'école ensemble, car il n'y avait pas beaucoup d'enfants au village... Bref, il m'a supplié de lui rendre ce service. « Ça te prendra cinq minutes, et je te paierai d'avance », m'a-t-il précisé. Il savait qu'il pouvait me faire confiance. Je lui ai rétorqué que j'étais déjà très occupé aux Archives et il m'a fait miroiter huit livres par mois. J'ai fini par accepter et nous sommes allés conclure notre marché à la taverne.

Les enfants l'écoutaient sans en perdre une miette.

– C'est là que je lui ai demandé quand il s'en allait. Il m'a répondu « le plus tôt possible »... Il m'a parlé du lendemain matin, ou plutôt non, de l'après-midi même. C'est ça, il voulait attraper le train de l'après-midi.

– Vous êtes sûr ?

– Oui, oui, maintenant, ça me revient.

– Mais la ligne n'était pas déjà fermée ?

– Tu as raison, mon garçon, admit Fred. Il n'y avait déjà plus aucun train l'après-midi, ni le matin d'ailleurs... Ah ! Mais c'est donc pour ça qu'il riait ! Il m'a fait une blague ! Ça alors ! Et moi qui le croyais !

Doredebout se tapa sur les cuisses :

– Il s'est bien fichu de moi, le vieux Black !

– Il a peut-être pris un train spécial, hasarda Julia.

– Ce n'est pas possible, rétorqua Jason. Les rails s'arrêtent dans le tunnel.

– Il a très bien pu partir dans l'autre direction...

Les enfants se retournèrent vers Fred :

– Vous savez où mènent les rails à l'ouest ?

– Oui, ils aboutissent dans les bois du domaine du Paradis rose. Il y a un aiguillage par là-bas, il me semble. Mais tout est abandonné. Mon frère et moi, on allait ramasser les champignons le long des voies.

– Et vous n'avez vu aucun train ?

– Non, non ! Black m'a fait une belle plaisanterie ! fit Fred en secouant la tête. Je m'en souviens comme si c'était hier... Il y a un autre détail qui m'a marqué : figurez-vous que, cet après-midi-là, j'ai entendu sonner le passage à niveau... J'oubliais : Black m'a donné une livre de plus pour que je lui rende un deuxième service...

– Ah bon ?

– C'était un petit peu plus compliqué que les vannes, mais je n'avais à me déplacer qu'une seule fois. Je devais remettre en place les leviers de la salle d'aiguillage... avant de tout éteindre en tirant sur cette manette centrale. Comme ça...

Fred effleura les commandes, déclenchant une série de *clics*.

– Je vois, répondit Jason. Et, au moment où vous l'avez éteint, avez-vous vu un train sur les rails ?

– Oh, non ! se rappela Fred. Il n'y en a plus depuis des années. Il y avait juste un numéro inscrit, ici...

Il mit le doigt sur le voyant qui se trouvait sous le schéma du quai. Il était éteint.

– Vous vous en souvenez ?

Fred sourit :

– C'est marrant : j'étais certain qu'un jour ou l'autre quelqu'un me poserait cette question !

Il marqua une pause ; ses yeux pétillaient de malice :

– J'ai une très bonne mémoire, vous savez ? Je ne note en général jamais les choses. Mais, là, j'ai fait une exception...

Il sortit un portefeuille épais comme un mille-feuille et se mit à trier les documents. Il finit par sortir un minuscule bout de papier. Le temps avait en bonne partie effacé l'encre et il était difficile de déchiffrer quoi que ce soit.

– Mince ! s'écria Fred.

Il se mit à contre-jour :

– Attendez ! On dirait... 1... 3... 7... 4.

– Ça pourrait être un numéro de train ? s'enquit Jason.

– Tu crois vraiment que Black est parti en train ? lui rétorqua sa sœur. Sans réseau ferré, ça me paraît difficile.

– J'y pense ! s'exclama tout d'un coup le fonctionnaire. Il y avait quelque chose d'affiché sur le panneau dans le hall.

– Quoi ?

Fred se gratta la tête :

– Euh... Eh bien... Euh...

Il tint les enfants en haleine avant de s'écrier :

– J'y suis ! C'était : *terminus Kilmore Cove !*

– *Terminus : Kilmore Cove*, répétèrent à l'unisson les enfants en regardant le tableau de contrôle.

– ... et 1374 était affiché là au-dessus, ajouta Jason. Dites, les leviers, dans quelle position étaient-ils ?

– Vous m'en demandez trop ! Comment voulez-vous que je m'en souvienne ?! Allez, laissez-moi finir mon travail !

– D'accord, répondit le trio, déçu.

Fred repassa la tête dans le trou et se remit à tourner les vannes.

Les jumeaux et Rick échangèrent un clin d'œil complice... Julia tendit la main et abaissa de toutes ses forces le levier central du poste d'aiguillage. Aussitôt, les autres manettes se mirent à vibrer et à produire de curieux bruits.

– Ça marche !

– Comment ? réagit Fred d'une voix étouffée.

– Rien, rien.

Les manettes s'éclairèrent et une lumière rouge apparut sous les numéros de voies.

Rick saisit la manivelle de la curieuse boîte verte et la manœuvra jusqu'à ce que 1, 3, 7 et 4 s'affichent dans chacun des cadrans.

Au même moment, un bruit dans le hall de gare attira leur attention.

Rick, Jason et Julia sortirent précipitamment du poste d'aiguillage, traversèrent la billetterie et se ruèrent sous la verrière. Le tableau d'affichage s'était activé. Sur la première ligne, des chiffres tournaient à une allure vertigineuse. Ils s'arrêtèrent et indiquèrent l'heure exacte. Puis, plus rien. Les autres lignes restèrent noires. On avait l'impression que le panneau attendait que quelqu'un actionne une commande supplémentaire.

– Nous voilà bien avancés ! soupira Jason.

Julia réfléchit, avant de revenir vers la billetterie. Elle s'assit sur le comptoir, à côté du fichier des horaires et s'adressa aux garçons, perplexe :

– Cet endroit n'est pas très rassurant, vous ne trouvez pas ?

– On devrait peut-être continuer notre visite.

– C'est vrai qu'on n'a pas encore été voir l'appartement de Black Volcano. Il doit être quelque part, là-haut.

– Tu as repéré des escaliers ?

– Non. On y accède peut-être par l'extérieur.

– Si on demandait à Fred ?

– Oh, non, pitié ! s'exclama Julia.

– N'empêche qu'il est le dernier à avoir parlé à Black avant son départ.

– Je me demande bien pourquoi Black lui a confié ce travail, poursuivit Rick. On dirait que Fred règle le débit d'un système d'approvisionnement en eau. Ça a peut-être un rapport avec la citerne qui se trouve le long des voies.

Jason s'approcha de la machine qui émettait les billets. Il scruta les boutons ronds désignés par des chiffres de 1 à 10 et de drôles de syllabes : « TP », « SH », « CR », « VA », « IO », etc.

– Hé, Rick! Tu y comprends quelque chose?

Le garçon se pencha sur le clavier pendant de longues minutes, avant de capituler :

– Non, je ne vois pas. Les touches n'ont pas l'air de suivre un ordre logique.

– Et si ça correspondait aux lettres qui composent le numéro d'un train? suggéra Julia.

– Comment le savoir?

La jumelle poussa vers eux l'épais volume renfermant les horaires :

– On n'a qu'à éplucher ce pavé!

Rick se plongea dedans. Jason, qui l'avait déjà feuilleté, lui expliqua comment les choses étaient présentées.

– Regarde si tu trouves *Terminus Kilmore Cove*, lança Julia.

– À quoi tu penses? lui demanda Rick.

– Souviens-toi de ce que nous a dit Fred : le train annoncé était à destination de Kilmore Cove.

Les garçons tournèrent les pages couvertes de poussière, chassant au passage des fils de toile d'araignée.

– Voilà les trains qui ont pour terminus Kilmore Cove! s'exclama Jason.

– Il y en a deux, déclara Rick.

– Le Sud Express 3458 venant de... Zenor et celui-ci : le 1974.

– En provenance de ?

– Il n'y a aucun arrêt, remarqua Rick. Non, attendez, j'ai l'impression que les noms ont été rayés.

– Rayés ?

– Oui, à l'encre noire.

Rick observa la page à contre-jour et essaya de distinguer quelque chose à travers les épaisses ratures.

– On dirait... *Jardin de Jean*.

– *Jardin de Jean ?*

– Oui, tu as raison. C'est bien ça, confirma à son tour Jason. Et, là-dessous, il y a écrit *Trèfles*.

– Les collines aux Trèfles ! déduisit Rick. Là où il y a le tunnel. Donc, ce mot-ci doit être *Paradis rose*, la direction opposée.

– Et cet arrêt pourrait correspondre à T... Tortues ! Parc aux Tortues !

– Le problème, c'est qu'il n'y a pas de rails dans le parc, fit observer Rick.

Julia descendit du comptoir et lorgna par-dessus les épaules des garçons :

– C'est celui-là, dit-elle au bout de quelques secondes en désignant la page raturée.

– Comment ça, celui-là ?

– C'est le train qu'a évoqué ton ami.

– Ce n'est pas mon ami, rectifia Rick.

– Il a parlé de 1374. Mais, souvenez-vous, l'encre sur son bout de papier était très pâle. Cela aurait très bien pu être 1974.

– Qu'est-ce que tu proposes alors ? lança son frère.

– Je ne sais pas... On pourrait essayer de rentrer ce numéro dans l'appareil à manivelle.

– Je m'en charge ! proposa Rick.

Il revint quelques minutes plus tard :

– Mission accomplie ! On n'a pas une seconde à perdre : Fred a presque terminé. Dès qu'il sortira de son trou, il s'apercevra que nous avons réactivé le système.

– Si seulement on connaissait la prochaine étape...

Une fois encore, ce fut Julia qui eut la bonne idée :

– On pourrait tenter d'imprimer un billet...

– Et comment ?

– Est-ce qu'il y a d'autres précisions sur la fiche horaire ? Une mention spéciale ?

– Je vois 1974... et... oui, il y a peut-être quelque chose... C'est raturé. On dirait un... « C ». Oui, ça commence par un « C ».

Julia se plaça devant le clavier et soupira :

– On n'a rien sans rien ! Commençons par le numéro du train.

Julia appuya sur la touche 1, qui s'abaissa dans un claquement sec et demeura enfoncée. Puis, elle tapa sur le 9, le 7 et le 4.

Les quatre touches restèrent abaissées.

– Ça ressemble plus à une date qu'à un numéro de convoi ! releva Jason.

– Maintenant, cherche le « C », l'encouragea Rick.

Julia parcourut le clavier des yeux :

– Il n'y en a pas.

– Comment ça ?

– Je ne vois que « CL ».

Rick étudia de nouveau la page des horaires :

– Je n'en sais rien… Essaie cette touche, on verra bien…

Julia s'exécuta, et la touche se bloqua :

– Cette machine a l'air cassée, fit-elle déçue. Qu'est-ce que vous voulez que je tape ensuite ?

– 1974, « CL »…, répéta Jason à voix haute.

Rick étudiait toujours les horaires, désespéré.

– « VB » ? « TR » ? « OE » ? Ou « AA » ? proposa Julia.

– Et « IO », tu l'as ? lui demanda soudain Jason.

Julia chercha :

– Oui. Pourquoi ?

– «CL-IO»! Ce n'est pas le prénom de la sœur de Mme Biggles?

– Exact! fit Rick. C'est le surnom de Clitennestra Biggles.

– J'essaie?

– Vas-y, Julia!

La jeune fille enfonça la syllabe «IO». Après un dernier cliquetis, toutes les touches se débloquèrent simultanément.

Une feuille blanche fut aspirée au dos de l'appareil, prête à être imprimée.

Après avoir attendu quelques secondes, Julia annonça:

– Il manque un élément.

– Quoi, à ton avis?

– On a rentré le numéro du train, le code...

– Tape 3! lança Rick. Il faut peut-être lui indiquer le nombre de passagers.

Julia obéit. Le bouton resta coincé pendant une dizaine de secondes puis se releva d'un coup. Toute la machine se mit à émettre des cliquetis répétés jusqu'à ce qu'une feuille rectangulaire bordée d'un élégant motif soit recrachée. On pouvait y lire:

VILLE DE KILMORE COVE, gare de Clark Beamish

Billet pour le train spécial CLIO 1974 dit « train de l'éternelle jeunesse »

Validité : une journée

Nombre de passagers : 3

Pour les conditions d'embarquement, s'adresser au guichet ou consulter le tableau d'affichage.

– Impressionnant ! s'écria Julia. Et maintenant, qu'est-ce qu'on fait ?

Dans la pièce à côté, Fred Doredebout poussa un hurlement.

– Vite ! Allons voir ce qui se passe !

Cahier :

CINQUIÈME

Titre :

À LA VITESSE
DE L'ÉCLAIR

Impression :

PETER DEDALUS

Chapitre :

18

*A*rrivée devant le salon de coiffure, Olivia Newton fléchit les genoux, avança maladroitement sa jambe droite, releva la pointe de son roller et freina.

La jeune femme se laissa tomber à terre, retira ses patins et les jeta plus loin d'un geste dédaigneux. Elle ouvrit son sac à dos et extirpa une paire de bottines assorties à la salopette moulante qu'elle avait choisie avec soin.

Les deux portes de l'établissement étaient fermées. Un écriteau y était suspendu : *Fermeture hebdomadaire (coiffure à domicile uniquement)*.

Olivia sonna donc. Une fois... Deux fois... La fenêtre située au-dessus du store « Barbier et coiffeur pour hommes » s'ouvrit enfin. Gwendoline apparut, le combiné du téléphone calé entre son oreille et son épaule.

– C'est pour quoi ? demanda-t-elle.

Elle se pencha et reconnut Olivia au premier coup d'œil. Elle rentra immédiatement la tête et disparut à l'intérieur :

– Excuse-moi, maman, il faut que je te laisse, Mlle Newton est arrivée... On se rappelle plus tard !

Elle fit patienter Olivia encore quelques minutes, le temps de rejoindre la porte de la salle réservée aux hommes.

– Mademoiselle Newton ! Entrez, je vous en prie !

Olivia lui répondit par un sourire figé :

– Bonjour, Gwendoline !

La coiffeuse portait des chaussons en fausse fourrure qui se terminaient par une ridicule tête de lapin :

– Je suis désolée de vous avoir fait déplacer, mais je ne voyais pas d'autre solution.

– Manfred est là-haut ?

– Oui, oui ! Suivez-moi... et ne faites pas attention au désordre ! Vous savez, je vis seule, je travaille beaucoup et je n'ai pas le temps de faire le ménage !

Gwendoline guida son hôte jusqu'à une porte située derrière les bacs à shampoing :

– Pouvez-vous refermer derrière vous, s'il vous plaît ? Merci !

Les deux femmes empruntèrent un étroit couloir en forme de « U » qui reliait les deux salons entre eux puis gravirent une série de marches pentues. Sur les murs, la peinture était abîmée par le sel.

– Par ici ! J'ai un peu honte de vous recevoir ainsi...

– C'est bon, c'est bon, rétorqua sèchement Olivia. Moi aussi, je suis célibataire et je gère une agence immobilière.

– Vraiment ? Ah, ça me fait plaisir... Enfin, je veux dire, je suis contente de rencontrer quelqu'un qui est dans le même cas. J'ai tout de suite compris que nous

avions des points communs... Nous y sommes...
Attention, c'est un peu bas de plafond!

L'appartement de Gwendoline plut tout de suite à Olivia. Le hall d'entrée turquoise donnait sur un salon mauve. Au plafond, un motif en trompe-l'œil représentait une fausse tonnelle qui laissait entrapercevoir un coin de ciel bleu. Des fauteuils en osier garnis de coussins blancs encadraient une table basse sur laquelle la coiffeuse avait disposé des courges décoratives. Un tapis ivoire aux arabesques dorées recouvrait le sol, et une tenture décorait un pan de mur.

– Le voilà! annonça Gwendoline en montrant l'homme étendu sur le divan. J'ai fait ce que j'ai pu... J'ai l'impression que sa fièvre a baissé.

Entendant sa bienfaitrice revenir, Manfred laissa tomber un bras à terre et émit un gémissement.

Olivia ne fut pas longue à comprendre que son chauffeur jouait la comédie.

– Manfred! fit-elle, autoritaire.

La réaction du malfrat fut instantanée: il sursauta, roula de grands yeux effarés, comme s'il venait de recevoir une décharge électrique, et bondit sur ses pieds.

– Mademoiselle Newton! s'exclama-t-il en se drapant dans la couverture. Je... comment...?

– Doucement! Articule! répliqua-t-elle, glaciale. Je ne comprends rien à ce que tu me racontes.

– Je... j'ai fait une chute.

– À quel endroit?

– De... de la...

– De la falaise de Salton Cliff! le devança Gwendoline. Il l'a répété pendant toute la matinée.

Manfred grommela dans sa barbe naissante.

– Je suis curieuse de savoir ce que tu faisais dans ce coin..., l'interrogea sa patronne.

– Je remontais la route de... la... Villa Argo... au volant de la Dune Buggy.

– Et peux-tu m'expliquer comment tu as pu dégringoler de la falaise?

Manfred était mal à l'aise, il triturait un coin de la couverture.

– Je voulais éviter un cheval.

– Ben voyons! railla Olivia.

Sentant la tension monter, Gwendoline tenta de détendre l'atmosphère. De sa voix la plus guillerette, elle proposa:

– Que diriez-vous d'une tasse de thé?

Le regard d'Olivia passa du chauffeur à la coiffeuse. Son visage se décrispa, avant d'afficher un sourire radieux:

– Excellente idée ! Je viens vous aider. Cela laissera le temps à Manfred... de se changer.

Elle lui lança la tenue d'apprenti coiffeur qu'elle avait apportée :

– Contente-toi de l'enfiler et ne me pose pas de questions ou je te renvoie sur-le-champ !

La cuisine attenante s'inscrivait dans le même style que le reste de l'appartement. Laquée de bleu, la pièce était égayée par les fleurs séchées et les tournesols que Gwendoline avait disposés sur les étagères.

La jolie brunette sortit trois tasses en porcelaine décorées d'un fin liseré doré et posa sur la cuisinière une bouilloire équipée d'un oiseau siffleur.

– C'est pratique : au moins on ne l'oublie pas sur le feu ! expliqua-t-elle.

– Quelle ingénieuse trouvaille ! s'écria Olivia. Votre appartement est absolument a-d-o-r-a-b-l-e !

– Vous trouvez ? C'est moi qui l'ai entièrement décoré. Enfin, je l'ai imaginé, et, ensuite, je me suis fait aider pour les travaux.

– C'est charmant, vraiment. Écoutez, ma chère...

Olivia avait changé de ton :

– Je suis désolée pour ce qui est arrivé. Je ne sais pas comment vous remercier...

– Je vous en prie ! C'est tout naturel ! Ce fut un plaisir, croyez-moi. Figurez-vous que je n'avais pas entendu quelqu'un ronfler chez moi depuis des années ! Bon, c'est vrai que je n'étais pas très à l'aise quand votre chauffeur délirait, mais...

– Vous avez entendu ce qu'il a dit ?

– Il vous appelait. Et puis, il s'énervait à propos d'une histoire de clefs et de portes.

– Ah, les portes, encore et toujours ! déclama Olivia, sur un ton théâtral.

– De quoi s'agit-il au juste ?

– C'est une obsession chez Manfred. Une manie, disons, aussi curieux que cela puisse paraître.

– Fascinant, soupira Gwendoline, ravie de connaître un peu plus l'homme qu'elle avait sauvé.

– Seulement, ça le stresse beaucoup. Vous voyez jusqu'où ça peut mener ?

– Vous voulez parler de sa chute, je suppose ?

– Exactement.

– À l'entendre, c'est la deuxième fois que cela lui arrive.

– À chaque fois, c'est à cause de la même porte.

– Je ne vous suis pas, mademoiselle Newton...

La bouilloire émit son sifflement strident. Gwendoline la souleva et versa l'eau dans la théière.

– Je veux parler de celle de la Villa Argo, explicita Olivia. Il y aurait là-bas une porte qui daterait du XVIIIᵉ ou XIXᵉ siècle. Et Manfred tient absolument à la voir. Malheureusement, il n'a jamais réussi.

– Il n'a pas de chance !

– Ah, ne m'en parlez pas ! Il ne pense qu'à ça. Et, quand il a quelque chose en tête, c'est difficile de lui faire oublier ! Dire qu'il lui suffirait d'y jeter un œil !

Olivia poursuivit, en esquissant un geste de la main en direction de Salton Cliff :

– Mais mieux vaut attendre qu'ils s'installent...

Gwendoline n'eut aucun mal à saisir l'allusion d'Olivia :

– Vous voulez parler des nouveaux propriétaires ?

– Tout à fait ! Vous comprenez, on peut difficilement aller chez eux et demander à voir leur porte.

– Effectivement. Vous risquez de passer pour des fous...

– Tout à fait.

– ... ou de rechuter du haut de la falaise.

– Je n'ose pas l'imaginer...

Gwendoline disposa les tasses sur un plateau et s'apprêta à l'apporter au salon.

– Manfred doit avoir terminé de s'habiller, vous ne croyez pas ?

– Le pauvre chéri ! geignit Olivia en se frappant la poitrine.

Elle s'interposa entre la coiffeuse et la porte de la cuisine, en s'exclamant :

– Si seulement il y avait un moyen de le faire entrer dans la maison !

Elle se fit plus insistante :

– Si seulement je connaissais quelqu'un qui s'y rende et...

Gwendoline l'interrompit sur-le-champ :

– Attendez !

– Oui ?

Olivia se savait proche du but.

– Figurez-vous que j'ai rendez-vous aujourd'hui même là-bas. Je dois aller coiffer Mme Covenant à dix-huit heures.

– Ah bon ?

Olivia se garda bien de rappeler à la coiffeuse qu'elle le lui avait déjà dit sur son répondeur et prit sa voix la plus douce :

– Ne serait-il pas possible de vous accompagner ?

Gwendoline secoua catégoriquement la tête :

– Oh, mais je travaille seule.

– Vraiment ?

Gwendoline regarda Olivia dans les yeux :

– Que me proposez-vous exactement, mademoiselle Newton ?

Olivia la laissa passer et les deux femmes se dirigèrent vers le salon, où elles retrouvèrent Manfred
occupé à remettre en ordre le canapé.

– C'est très simple, ma chère. Voilà comment je
vois les choses : je reste dans la voiture, pendant que
vous et votre nouvel apprenti... euh..., « Manny », cou-
pez les cheveux de Mme Covenant. Quand vous
aurez terminé, Manny s'éclipsera un instant pour aller
voir cette magnifique porte. Croyez-moi, il vous en
sera éternellement reconnaissant, n'est-ce pas, Manny ?

– Éternellement reconnaissant..., confirma le
chauffeur en vissant sa casquette sur son crâne.

Gwendoline ne put s'empêcher de reconnaître que
Manfred était très séduisant dans cette tenue :

– Bon, d'accord ! On devrait pouvoir s'arranger...

– Parfait ! siffla Olivia.

Elle se laissa choir dans un fauteuil en osier :

– Nous pouvons désormais boire notre thé en
toute tranquillité !

Gwendoline sourit, légèrement embarrassée, et lui
tendit une tasse.

Au moment de se servir, elle suspendit son geste.
De la fenêtre ouverte leur parvenait un curieux

carillon. On avait l'impression que les cloches de l'église s'étaient déréglées.

– Qu'est-ce que c'est ? demanda Olivia, surprise.

Gwendoline tendit l'oreille puis haussa les épaules :

– C'est étrange... J'aurais juré entendre la sonnerie du passage à niveau. Mais c'est impossible : la ligne de chemin de fer est fermée.

Jason, Julia et Rick firent irruption dans le poste d'aiguillage de la gare. Ils trouvèrent Fred Doredebout en train de gesticuler dans tous les sens, affolé :

– Qu'est-ce qui se passe ? Qu'est-ce que vous avez touché ?

Sur le tableau de contrôle, le circuit jaune tournait sur lui-même et le voyant placé sous le schéma de la voie n° 3 semblait déréglé.

– Pourquoi clignote-t-il ?

– L'aiguillage ! devina Rick.

– Quel... quel aiguillage ? bégaya Fred.

Sans se donner la peine de lui répondre, Rick bascula le levier d'aiguillage entre la voie n° 3 et la voie principale. Le voyant cessa instantanément de clignoter.

– Bravo ! fit Fred Doredebout, encore choqué.

Mais le circuit se remit à défiler. Cette fois-ci, tous les voyants des voies situées dans la direction opposée s'allumaient et s'éteignaient de façon saccadée.

– Ce n'est pas vrai ! se lamenta Fred, les mains plaquées sur ses tempes. C'est encore pire qu'avant !

Les jumeaux faisaient entièrement confiance à Rick, qui scrutait le mécanisme et essayait de comprendre.

– Allez, Rick ! Je suis sûr que tu vas y arriver.

– Vous êtes gentils ! Ce n'est pas si simple.

Le jeune rouquin se mit à réfléchir à voix haute :

– Bon... Admettons que le voyant de la ligne n° 3 clignotait pour signaler qu'un train arrive...

– Un train arrive ? releva Fred, paniqué.

Rick plaça son index sous le schéma des voies :

– Le train entre en gare... et repart par là... et ces trois aiguillages clignotent parce qu'on n'a pas encore indiqué sa destination.

– On n'en a pas la moindre idée ! intervint Julia.

Rick fit craquer les articulations de sa main. Les lumières rouges se reflétaient sur sa peau claire parsemée de taches de rousseur.

– On va l'envoyer... ici !

Et il abaissa deux manettes.

– C'est-à-dire ?

– Dans le tunnel.

Au même moment, le circuit arrêta de clignoter.

– Comment ça « dans le tunnel » ? réagit Jason qui l'avait exploré une heure plus tôt. Il est fermé !

Rick tenta de se justifier, quand un vacarme épouvantable envahit le hall principal.

Les enfants s'y précipitèrent et ne tardèrent pas à découvrir d'où cela provenait : le tableau d'affichage s'était réactivé, les chiffres et les lettres défilaient de manière vertigineuse. On aurait dit que deux mains de fer mélangeaient un jeu de cartes géant. Le bruit, amplifié par la verrière et l'immensité de la salle, était assourdissant.

Puis, progressivement, les lettres arrêtèrent leur course folle, et le silence reprit le dessus.

– Qu'est... Qu'est-ce qui se passe ? bégaya de nouveau Fred Doredebout, qui venait de les rejoindre.

– Je crois que Black vient de nous laisser un message, murmura Jason, en levant la tête.

– Qu'est-ce que ça signifie ? demanda Julia.

– Je l'ignore, admit Rick, déconcerté.

– Pour moi, c'est signe qu'on progresse ! déclara Jason.

– Vous avez perdu la tête ! s'exclama Fred
Doredebout, avant de lire à voix haute l'inscription
qui barrait le tableau des départs :

Si tu veux embarquer, ami voyageur,
Tu devras remplir ton cœur
D'une dose de sable, d'une dose de vent
Et de nombreux amis – au moins cent.

Soudain, les parois de la verrière se mirent à trem-
bler, le sol à vibrer. Un roulement lointain leur parvint, de plus en plus distinct, de plus en plus saccadé.

– Il arrive ! cria Jason.

– De quoi parles-tu ? lui demanda Fred, encore
concentré sur le message.

– Le train 1974 ! s'exclama Rick.

Ils entendaient très nettement crisser les bielles
d'une locomotive à vapeur lancée à plein régime. Elle
venait de l'ouest, des bois du domaine du Paradis
rose.

– Vite ! Ouvrez la porte qui donne sur le quai !
hurla Jason à Doredebout. Il arrive !

Le garçon se précipita vers la porte.

– Un moment, un moment ! paniqua Fred. Voyons,
voyons... Les clefs...

– Trouvez la bonne et ouvrez-la !

L'homme sortit le trousseau de sa poche et rejoignit Jason d'un pas traînant. La locomotive se rapprochait, ses roues d'acier martelaient les rails. Désormais, tout le bâtiment était ébranlé. Le lustre central se balançait dangereusement, tel un fruit mûr prêt à tomber.

– Un instant, les enfants ! supplia l'employé de mairie.

– Dépêchez-vous !

– Ce n'est pas celle-là... Celle-là non plus...

Il essayait les clefs les unes après les autres et les mettait de côté au fur et à mesure.

Jason perdit patience. Il fit demi-tour, ressortit par l'entrée principale et contourna le bâtiment.

Il n'était plus qu'à quelques mètres des voies, lorsqu'un appel d'air le stoppa net dans sa course.

Une masse sombre projetant des morceaux de charbon brûlants balaya le quai, telle une tornade.

Le souffle coupé, Jason se jeta à terre pour éviter d'être happé. Une fumée âcre lui emplit les poumons et les yeux. La seule chose qu'il entraperçut fut une longue forme noire, qui s'éloignait dans un bruit de ferraillement et un nuage de vapeur grise.

Le train était passé à Kilmore Cove mais ne s'était pas arrêté.

– Vous l'avez vu ?

Jason interrogea ses compagnons qui venaient de le rejoindre.

– Non, répondit Julia. Et toi ?

– Pas vraiment, il m'a filé sous le nez à la vitesse d'un éclair, avant de disparaître dans cette direction.

Rick se mit à courir sur le quai :

– Dépêchons-nous, alors !

– Mais on n'arrivera jamais à le rattraper ! protesta Julia.

– On vient de l'envoyer vers le tunnel… et il est sans issue !

– C'est bizarre… On aurait déjà dû l'entendre s'écraser contre le mur du fond, s'exclama Jason en suivant Rick.

Julia s'attarda un instant et posa la main sur les rails. Ils ne vibraient plus.

– Ohé, les enfants ! cria Fred Doredebout. Qu'est-ce que je fais moi maintenant avec les aiguillages ?

Mais déjà les trois enfants ne l'entendaient plus.

Peter Dedalus

Cahier :

CINQUIÈME

Titre :
**À LA RECHERCHE
DU TRAIN CLIO 1974**

Impression :	Chapitre :
PETER DEDALUS	**19**

Un quart d'heure plus tard, Jason, Julia et Rick arrivèrent essoufflés au pied des collines aux Trèfles. Ils firent encore quelques pas puis s'arrêtèrent : ils hésitaient à poursuivre. Les rails se perdaient dans l'obscurité. On avait l'impression que, telle une gueule béante, le tunnel les avait avalés. L'endroit était envahi par le lierre et les mauvaises herbes, et balayé par un courant d'air glacé.

– Vous pensez vraiment qu'elle est là-dedans ? murmura Jason.

– Où veux-tu qu'elle soit sinon... non... non ? répondit Rick dont l'écho reprit les mots.

– Si tant est qu'elle existe..., rectifia Julia, empêtrée dans les ronces.

Jason s'accroupit pour allumer la lampe à pétrole qu'il avait récupérée dans un des deux cabanons de la gare. Armé de son briquet, il batailla jusqu'à ce qu'un nuage noir à l'odeur nauséabonde s'élève.

– Tu ne pouvais pas plutôt prendre une torche ? le réprimanda sa jumelle.

Jason pesta mais ne renonça pas. Après plusieurs réglages, il parvint enfin à produire une petite lumière rougeâtre.

– Ça y est ! s'exclama-t-il triomphant.

Il enjamba les rails et partit en éclaireur. Julia et Rick le suivirent à tâtons.

—Tu distingues quelque chose, Jason? demanda la jeune fille au bout de quelques mètres.

—Il n'y a que des pierres et des traverses!

—Le tunnel est encore long? insista Julia.

—Aucune idée, répondit Rick. On n'est sûr que d'une chose: les rails ne ressortent pas de l'autre côté de la colline. Donc...

Il ne termina pas sa phrase... Jason souleva alors la lampe:

—Est-ce que vous voyez la même chose que moi?

Julia se retourna brusquement vers Rick:

—Elle existe! Tu avais raison!

Rick sourit. Il prit la main de son amie et regarda droit devant. Là, à quelques mètres d'eux, la locomotive disparue de Black Volcano brillait dans le noir malgré la couche de poussière qui la recouvrait.

Rick s'arrêta devant le marchepied:

—Attendez! D'après le message du tableau d'affichage, avant de monter, il faut remplir son cœur d'une dose de sable et d'une dose de vent.

—Il était aussi question de «cent amis»! renchérit Julia.

– Qu'est-ce que ça peut bien vouloir dire ?

Les enfants fixèrent le monstre d'acier poli comme un diamant. Il soufflait bruyamment et crachait des jets de vapeur. On aurait dit un cheval s'ébrouant dans sa stalle avant le départ d'une course.

– À mon avis, ce n'est pas une énigme, mais une poésie, déclara Jason.

– Qu'est-ce que tu en sais ?

– Réfléchis : tel quel, ce message ne veut rien dire ! Ça me rappelle la leçon de français de tout à l'heure. Tu sais, ces métaphores... Pour moi, c'est la même chose : ces mots ont un sens caché.

– Et tu penses à quoi ?

– Ben... *Sable* par exemple n'est pas à prendre au premier degré mais désigne... euh...

Jason était visiblement en manque d'inspiration.

– La mémoire ! intervint Rick. Les différentes couches, comme le sable, se superposent avec le temps... Et le vent, qui symbolise l'imagination, peut lui donner une nouvelle forme, la modifier... ou brasser son contenu.

Les jumeaux regardaient Rick, estomaqués :

– Alors, là, Rick, tu nous épates !

– Je n'ai aucun mérite : je suis tombé sur un exercice là-dessus ce matin, pendant le quart d'heure de travaux pratiques, avoua le jeune rouquin.

Il continua sur sa lancée :

– Quant à «cent amis», c'est sûrement une allusion à nos sentiments et à nos émotions. D'après Black, on ne peut monter à bord que si on a tout ça dans le cœur.

– Dans ce cas, s'exclama Jason, je suis prêt !

– Tu m'avais caché tes talents de poète, murmura Julia en effleurant les cheveux de Rick.

«Il faut dire que l'amour, ça inspire», faillit ajouter le garçon.

Rick grimpa à bord le premier, suivi de Julia et de Jason.

Il ouvrit la portière et entra dans la cabine du conducteur. L'intérieur était noir de suie. On distinguait néanmoins à gauche du siège une dizaine de cadrans ronds superposés les uns sur les autres et des vannes de différentes tailles. Curieusement, le sol était recouvert d'une moquette rouge et une série de leviers désignés par des symboles semblaient attendre les instructions.

Une paroi en verre séparait la plateforme de conduite du reste de la locomotive, où deux petits bancs en bois pouvaient accueillir quelques passagers. Seule une vieille photo décorait la voiture. Elle représentait trois hommes posant devant la locomotive : Black Volcano, Peter Dedalus et Léonard Minaxo. Ils avaient tous l'air beaucoup plus jeunes.

– Regardez : Léonard n'a pas de bandeau sur l'œil ! Elle a dû être prise avant l'incident avec le requin..., fit remarquer Jason.

– De toute façon, cette histoire m'a toujours paru suspecte, commenta Rick. Ce n'est pas un coin à requins par ici.

– Tu as raison, fit Jason. Je n'y avais jamais songé.

Les trois amis continuèrent d'explorer les lieux, espérant trouver quelque indice. Arrivé au bout de la locomotive, Jason s'arrêta, interloqué. Il se tenait devant la porte qui permettait, au besoin, de passer dans un autre wagon.

– Hé ! Décidément, c'est mon jour de chance aujourd'hui !

– Pourquoi ?

– Et de deux !

Jason s'agenouilla et caressa le battant :

– J'ai trouvé une autre porte du temps !

– Tu en es sûr ? lui demanda sa sœur.

– J'en mettrais ma main à couper.

Rick s'approcha à son tour et essaya de l'ouvrir :

– En effet, il n'y a pas de doute ! Comme toutes les autres, elle est verrouillée et il n'y a aucune clef dans la serrure.

– Vous vous rendez compte : c'est une porte qui peut être déplacée, fit remarquer Julia. Si le réseau ferré était plus important, on pourrait la transporter n'importe où !

– C'est vrai !

– Je comprends pourquoi Black tenait autant à la cacher, lança Rick.

– On sait maintenant comment il a disparu ! ajouta Jason.

– Quoi ? Tu crois qu'il est passé par là ?

– Évidemment ! Julia, tu te souviens de ce qui était écrit dans *Le Manuel de l'évasion* ? « L'une d'entre elles est adossée à une voiture »...

– Oui, et alors ?

– Réfléchis ! *Voiture* est la traduction du mot *wagon* ! Et comment faisait-on pour tracter un wagon avant l'invention de la locomotive à vapeur ?

– On se servait de chevaux.

– Tu as tout compris, petite sœur !

– Tu veux donc dire que c'est la porte... du cheval ?

Jason acquiesça :

– Souvenez-vous de la conversation entre Peter et Olivia sur l'île aux Masques... L'horloger a expliqué à la jeune femme que la porte de la gare s'ouvrait avec une clef en forme de cheval. Et je suis sûr qu'il allait lui révéler que Black la détenait, quand le comte des Cendres a fait irruption. À mon avis, c'est bien la

porte que le vieux Black a empruntée. Il a organisé le dernier voyage de sa locomotive, l'a cachée sur une voie désaffectée dans les bois du domaine du Paradis rose et a passé le seuil du temps. Avant de partir, il a demandé à une personne de confiance d'effacer les traces de ce voyage. Et si par hasard, quelqu'un venait à interroger Fred et réussissait à remettre en marche la locomotive, il se serait retrouvé avec pour seuls indices une poésie d'adieu et une porte close.

— C'est toujours la même chose, dit Julia. La porte ne pourra s'ouvrir que lorsque le voyageur qui l'a franchie sera rentré.

Jason frappa contre le bois :

— On ne sait pas non plus où elle mène... et où a abouti le gardien des clefs.

— Peut-être que la réponse se trouve justement dans cette locomotive, avança Julia. Vous vous rappelez les arrêts indiqués sur la fiche-horaire ?

— Oui. Ils avaient été raturés.

— Vous ne trouvez pas ça bizarre : depuis le début de cette aventure, on ne fait que suivre des indications barrées... Ça a commencé en Égypte avec les registres de la Maison de Vie[1].

---

1. *Cf.* tome II, *La boutique des Cartes Perdues*.

– Qu'est-ce que tu proposes ? demanda Rick à Julia.

– Nous sommes à bord d'un train très spécial et quelque chose me dit qu'il peut nous emmener dans un endroit que nous ne soupçonnons même pas...

Rick se mordit la lèvre :

– Où par exemple ?

– Je n'en ai pas la moindre idée.

– Parce que tu crois que cet engin va démarrer comme par miracle ?! ironisa Jason.

– On n'a qu'à essayer d'actionner les commandes ! lança Julia.

La jeune fille s'accroupit pour mieux observer les symboles peints sur les leviers de la cabine. Au bout de quelques secondes, un sourire s'esquissa sur ses lèvres.

– Qu'est-ce qui te fait sourire ? demanda Jason.

– Je crois qu'on est sur la bonne voie. Ce ne sont pas de simples inscriptions : ce sont les caractères du Disque de Phaistos !

Les deux garçons se baissèrent à leur tour.

Julia avait raison : ils avaient sous les yeux l'écriture codée dont Ulysse Moore s'était servi pour rédiger ses messages... et ses amis pour écrire sur les murs de la maison du parc aux Tortues.

– Bon! Vu qu'on a oublié *Le Dictionnaire des langages oubliés*, commença Rick, qui est capable de déchiffrer et de trouver où peut nous mener ce train?

Jason se concentra. Il connaissait une bonne partie des caractères. Il choisit donc un des leviers et déclara:

– Sur celui-ci, c'est écrit «Au commencement».

Les enfants s'interrogèrent du regard.

Le nom produisait sur eux un double effet: de la fascination, certes, mais de la peur aussi. Julia sentit un frisson lui parcourir le dos.

– Vous avez vraiment envie d'aller voir où tout a commencé? insista Jason d'une voix calme et posée.

Rick acquiesça et posa sa main sur l'épaule de son ami. Julia l'imita.

– Alors, c'est parti! En route, les amis! s'exclama Jason en basculant la manette.

Aussitôt, le train s'ébranla.

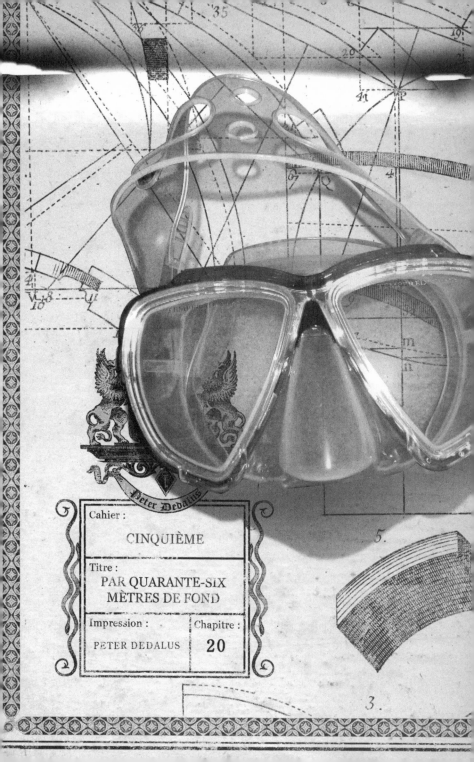

Cahier :

CINQUIÈME

Titre :

PAR QUARANTE-SIX
MÈTRES DE FOND

Impression :

PETER DEDALUS

Chapitre :

20

À deux milles au sud du phare, Léonard coupa le moteur et laissa son hors-bord dériver légèrement. La côte de Kilmore Cove n'était plus qu'une ligne brune à l'horizon, et de longs filaments blancs parcouraient le ciel.

Le gardien du phare passa à l'arrière de l'embarcation, déverrouilla l'ancre et la jeta par-dessus bord. Surveillant les marques rouges peintes sur les maillons de la chaîne, il mesura la profondeur des fonds : cinq... dix... vingt... trente... quarante... quarante-six mètres... L'ancre mordit. À quelques mètres près, la chaîne aurait été trop courte.

– J'y suis ! s'écria Léonard.

Le colosse regagna la cabine et jeta un dernier coup d'œil sur la carte. Il n'était jamais descendu aussi bas. Il savait qu'il prenait des risques.

Il soupira :

– Allez, j'essaie !

Il enfila sa combinaison isotherme, sa ceinture de plomb, lissa ses cheveux en arrière et rabattit sa cagoule. Il installa ensuite deux bouteilles de dix litres dans son gilet, et glissa son couteau, sa torche halogène à l'intérieur. Léonard endossa le tout puis attacha à son poignet sa montre et son manomètre-profondimètre pour pouvoir contrôler la pression de ses bouteilles et calculer les paliers de décompression[1] lors de la remontée. Il chaussa ses palmes, plaça le masque sur ses yeux en le resserrant au maximum.

D'une démarche de canard, il rejoignit tant bien que mal le flanc du bateau, s'assit sur le bastingage et s'écria :

– À nous deux, maudite clef !

Il enfila le détendeur dans sa bouche puis bascula en arrière.

Une fois sous l'eau, Léonard suivit la ligne de mouillage formée par la chaîne de l'ancre. Sa silhouette noire s'immergea dans le silence de la mer et fila vers les profondeurs obscures. Seules quelques bulles argentées remontant à la surface trahissaient sa présence.

Il traversa un banc de maquereaux, qui explosa sur son passage tel un feu d'artifice bleuté. Il poursuivit sa descente rythmée par le bruit de sa respiration. Il se sentait euphorique et nerveux à la fois.

La pénombre l'enveloppa petit à petit. Les poissons n'étaient plus que des ombres. Léonard alluma sa

---

1. Le plongeur doit remonter à la surface petit à petit, par paliers, pour éliminer l'azote qu'il a accumulé dans le sang pendant sa plongée.

lampe et transperça l'océan d'un cône de lumière pâle.

Il vérifia ses instruments de mesure. Huit minutes à son chronomètre. Trente-trois mètres au profondimètre.

Il continua à descendre.

Il toucha le fond plus vite que prévu. Il était tapissé de grands blocs de roche noire entre lesquels on entrapercevait du sable clair.

Léonard s'arrêta pour essayer de se repérer dans ce désert aquatique.

Il choisit une direction au hasard et se mit à explorer l'océan nébuleux en décrivant des cercles de plus en plus larges.

Le paysage sous-marin qui s'offrait à lui était tout à fait ordinaire.

Il contrôla sa montre et son manomètre. Cela faisait vingt-huit minutes qu'il plongeait.

Obstiné, il continua.

Dix minutes plus tard, il n'avait toujours rien trouvé.

« Encore cinq minutes et je rebrousse chemin, se dit-il. Cela me laissera largement le temps de remonter doucement en respectant tous les paliers de décompression. »

Tout d'un coup, une ombre effilée retint son attention.

On aurait dit un pic rocheux.

Léonard vérifia l'heure.

Il ne lui restait que quatre minutes et trente secondes.

Il décida d'aller voir et se faufila entre deux gros blocs carrés. Soudain, il s'arrêta net, estomaqué : il était arrivé au bord d'une faille.

À moins de trente mètres de lui gisait l'épave d'un grand voilier.

Il n'en croyait pas ses yeux. Il en avait rêvé depuis des années.

« Le voilà ! Le voilà enfin ! »

Il serra le poing en signe de victoire. Il avait bien fait de suivre son instinct, de répondre à l'appel de la mer et de replonger.

Lui qui l'avait tant de fois étudié ! Le voilier était enfin là, dans le faisceau de sa torche ! Fragile et majestueux.

Quatre minutes.

Il ne pouvait pas faire demi-tour maintenant. C'eût été trop bête.

Ému, il avança, parallèle au sol, en palmant de toutes ses forces.

L'ombre qu'il avait aperçue tout à l'heure n'était autre que le grand mât. Recouvert par les algues, il pointait vers la surface, légèrement incliné sur le côté. La coque, elle, était presque entièrement enfoncée dans le sable.

Léonard la longea, faisant fuir des centaines de minuscules poissons.

Il osa enfin la toucher.

Il caressa son bois de chêne, vieux de cinq siècles.

Puis, Léonard gagna la proue, à première vue intacte. Le profil d'une figure en bronze se devinait sous la vase.

Le plongeur sentit son cœur battre la chamade. Toutes ces années ! Et dire que le navire avait toujours été là, par quarante-six mètres de fond. À quatre petits kilomètres des côtes.

Plus que deux minutes, l'avertit le chronomètre.

Même s'il connaissait déjà le nom du voilier, Léonard préféra vérifier. Il se glissa jusqu'à l'endroit où il était censé le trouver, essayant de se souvenir des nombreuses gravures du voilier qu'il avait observées à la loupe. Il gratta le sédiment de ses mains puis finit par extirper de son gilet son couteau. La lame glissa sur le bois et raya une plaque de cuivre.

Léonard, fiévreux, la dégagea et l'éclaira :

FIONA.

Désormais, il n'y avait plus de doute. C'était bien lui.

Il venait de le retrouver, et, déjà, il devait l'abandonner. Il repassa sa main sur sa coque, comme pour lui dire au revoir.

Son chronomètre lui laissait encore une minute de répit. Léonard décida de terminer son tour d'inspection.

Il ne tarda pas à remarquer une brèche.

Il s'approcha en rasant le fond sablonneux et posa les mains de chaque côté de l'ouverture. L'entaille était profonde et nette.

Trente secondes au compteur.

Léonard braqua sa torche. Il n'y avait en apparence que du bois pourri, des colonies de plantes en forme d'éventail, des crustacés et des poissons.

Quinze secondes...

Cette brèche n'avait pourtant rien de naturel. Il fallait qu'il poursuive sa visite. Et s'il supprimait un palier de décompression ? Il gagnerait trente secondes supplémentaires. Après tout, il l'avait déjà fait.

Sa lampe sonda les planches. Il bascula le buste à l'intérieur du trou et tenta de comprendre ce qui avait bien pu se passer.

Tout d'un coup, il distingua quelque chose qui brillait.

Il écarta le sable.

C'était un objet métallique. Un bracelet selon toute vraisemblance.

Il le ramassa.

Il s'était trompé.

Ce qu'il avait entre les mains n'était pas à sa place.

Sa tête se mit à tourner. Averti par un sixième sens, Léonard pointa sa lampe vers la surface. Le détendeur se mit à gargouiller. Le plongeur bondit en arrière, ses bouteilles cognèrent contre la coque. Il se débattit comme une anguille, cherchant à sortir de ce piège le plus vite possible. Il donna un violent coup d'épaule contre les parois, produisant une deuxième explosion de bulles d'air. Le bois se fendit. Léonard s'acharna contre les planches, qui cédèrent enfin sous son poids.

Il glissa sa trouvaille sous sa combinaison et s'élança vers la surface.

Il n'arrivait pas à oublier ce qu'il venait de voir.

Un crâne humain, emprisonné dans l'épave, qui dépassait d'une combinaison de plongée noire.

Minaxo s'arrêta à moins vingt-cinq mètres pour effectuer son premier palier. Il essayait de se calmer et de réguler sa respiration, mais c'était inutile. Ses émotions et son stress lui avaient fait consommer beaucoup plus de Nitrox que prévu. Il n'en avait plus assez. Il devait prendre le risque de remonter plus vite.

Les yeux rivés sur sa montre, il réfléchit. Combien de temps pouvait-il tenir en apnée ? Deux, trois minutes ? Il devait absolument réussir à regagner la surface, son bateau à moteur... la côte, le phare.

Il avait enfin trouvé le voilier qu'il cherchait depuis des années, même si, apparemment, il n'était pas le premier à se rendre sur les lieux.

Qui était l'homme emprisonné là en bas ? Qui était-ce ?...

Lorsque Minaxo comprit enfin de qui il s'agissait, cela lui fit l'effet d'un coup de poing en plein cœur.

Le gardien secoua la tête dans l'eau grisâtre.

Pour se calmer, il mémorisa l'emplacement exact de l'épave.

Il consulta une dernière fois ses appareils de mesure. Soit il refaisait surface maintenant, consommant lentement le peu d'air qui lui restait, soit il mourait en emportant à jamais cette découverte.

Il ferma son unique œil sain et laissa son corps remonter, tout en tentant de chasser les pensées qui le préoccupaient.

Il rouvrit brusquement les yeux. Il venait de percevoir un remous, une présence. Une ombre immense le domina.

Il leva la tête.

Il resta paralysé, à moins vingt mètres, trop interdit pour faire le moindre geste.

Tel un sous-marin, une baleine passait au-dessus de lui.

Cahier :

CINQUIÈME

Titre :

LA GROTTE

Impression :

PETER DEDALUS

Chapitre :

21

*L*a locomotive sortit du tunnel comme une flèche et fendit la campagne de Kilmore Cove. Ses bielles galopaient, son moteur crachotait, ses roues crissaient. Il régnait un tel tapage à bord que les enfants avaient l'impression d'entendre la mécanique crier et gémir de toutes parts.

Jason, Julia et Rick eurent à peine le temps d'entrapercevoir la lumière du jour qu'ils furent déjà replongés dans l'obscurité. Le vacarme devint assourdissant, et des flammèches sortirent de la porte du foyer.

Puis, le train spécial CLIO 1974 freina subitement, en poussant un rugissement aigu. Quelques minutes seulement après son départ, il s'immobilisa dans un dernier jet de vapeur. Un bruit sourd retentit à l'arrière, comme si quelque chose venait de heurter le sol, puis plus rien.

Les enfants se penchèrent à la fenêtre.

Il faisait noir comme dans un four.

– Ça doit être la nuit, en déduisit Jason.

– Je crois plutôt qu'on a abouti dans un autre tunnel, fit Rick, plus pragmatique.

– Qu'est-ce qu'on fait ? On descend ? demanda Julia.

– Allons-y !

– Attendez ! Mieux vaut d'abord s'équiper...

Rick fouilla la cabine et récupéra tout ce qui lui semblait utile : une torche électrique, deux fusées de signalisation, une bleue et une rouge, un rouleau de scotch, un stylo, une bouteille vide, une boîte d'allumettes et, surtout, une grande corde en nylon équipée d'un grappin.

– Tu es sûr que tu n'as rien oublié ? se moqua Jason.

– Si, un sac à dos pour porter tout ça !

Ils descendirent lentement de la plateforme. Ils se trouvaient en réalité dans une grande grotte.

La locomotive s'était rangée le long d'un quai étroit qui se perdait dans la pénombre.

Jason s'y engagea le premier, les sens aux aguets. L'air qu'il respirait était humide. Il entendait des gouttelettes perler, des ailes bruisser et ses pas résonner dans le lointain. Sur la carrosserie brûlante de la locomotive, une fine couche de rosée s'était déposée.

– Hé, Jason ! hurla Rick qui n'avait pas bougé d'un pouce. Prends la lampe !

– Rick a raison. Ne pars pas sans lumière ! renchérit Julia, qui marchait à tâtons.

Mais Jason, dévoré par la curiosité, ne les écoutait pas. Il avait atteint les parois de la grotte et les explorait

de la paume de sa main. À sa grande surprise, il ne tarda pas à sentir sous ses doigts un interrupteur.

Il le bascula.

Aussitôt, des milliers de loupiotes s'éclairèrent les unes après les autres, révélant un escalier abrupt. La guirlande lumineuse montait en serpentant, avant de se perdre dans les hauteurs.

Le spectacle qu'ils avaient sous les yeux était féerique. Le plafond était entièrement recouvert de fines stalactites d'un blanc éclatant, tandis que, du sol, émergeaient des stalagmites. Tordues dans tous les sens, elles ressemblaient à une armée de doigts pointés. Le paysage était formé d'une succession de falaises, de formations calcaires et de bassins aux eaux émeraude. La roche, sculptée par l'eau, révélait ses courbes, ses formes les plus extravagantes et ses couleurs étonnantes.

– Je devrais pouvoir me passer de torche, Rick, plaisanta Jason en admirant l'immense amphithéâtre qui les entourait.

Ils étaient arrivés au lieu du commencement.

Le trio se mit à grimper les premières marches. Au bout de quelques mètres, l'escalier amorça un virage entre deux stalactites géantes, et les enfants se retrouvèrent devant une sorte de cage en fer forgé décorée de motifs floraux. Elle était reliée à un interminable câble métallique.

À la faible lueur des lanternes, Jason réussit à distinguer une poulie plusieurs centaines de mètres en amont. Il s'approcha de la cage et l'ouvrit. L'intérieur était tapissé de la même moquette rouge que la cabine de la locomotive.

– Qui veut faire un tour en ascenseur ? lança-t-il.

Julia et Rick considérèrent d'un air suspicieux le fil d'acier et ce monte-charge exigu.

– Je préfère continuer à pied, décida Julia.

Rick se taisait. Il transpirait à grosses gouttes et portait sur l'épaule une vieille valise d'antiquaire en cuir.

– OK, je n'ai rien dit, se ravisa Jason.

Et, dans un grincement, il referma les portes de l'ascenseur.

Les enfants reprirent leur ascension, suivant les zigzags de cet escalier interminable. Ils montaient en silence, le dos voûté, comptant les degrés qui séparaient chaque lampion. On n'entendait que leurs pas cadencés et leur respiration haletante. Rick fermait la marche et perdait régulièrement de vue les jumeaux qui avaient pris de l'avance.

Ils n'en finissaient pas de grimper. Les lampions s'éteignaient les uns après les autres sur leur passage. Plus les enfants s'élevaient, plus ils se sentaient pris de vertige face à cet abîme replongé dans les ténèbres. Les stalactites et les stalagmites hérissées tels des piquants leur offraient une vision surréaliste et oppressante à la fois.

Rick s'arrêta devant une cascade souterraine pour remplir sa bouteille.

Il goûta l'eau. Elle était fraîche et sablonneuse. Il passa la bouteille à Julia, puis à Jason.

— Je me demande où on peut bien être, lança la jumelle.

— Je n'ai jamais rien vu de pareil en tout cas, rétorqua Rick en s'épongeant le front. On se croirait dans un autre monde.

— C'est simple. On est là où tout a commencé, annonça Jason.

— Où a commencé quoi ? releva Rick après avoir de nouveau rempli la bouteille.

— C'est ce qu'il nous reste à découvrir ! rétorqua Jason en se remettant en route.

Une cinquantaine de virages et des milliers de marches plus haut, Jason arriva sur un plateau. C'était de là que partait le câble de l'ascenseur, retenu par un piton en forme de bec de héron planté dans la roche.

– On dirait que les escaliers ne vont pas plus loin, constata Jason.

Julia regarda droit devant elle : il n'y avait plus aucune lampe, et le plafond s'abaissait brusquement. Un sentier semblait conduire à une deuxième grotte plus étroite et plus proche de la surface.

– Qu'est-ce qu'il y a là-bas, sur la gauche ? On dirait un portail...

– Ou une grille. Elle a l'air fermée.

Rick les rejoignit et jeta sa valise par terre, ce qui provoqua une série d'échos :

– Encore une grille fermée ! Nous voilà bien avancés !

– Et si on essayait de l'ouvrir ? suggéra Jason.

Le portail, noir et imposant, était précédé de trois marches en marbre blanc. Encadré par deux colonnes torsadées, il était surmonté d'un linteau sculpté au centre duquel trônait un écriteau en pierre. On pouvait y lire :

Curiositas anima mundi.
MOORE.

– La curiosité... est... l'âme... de ce monde, traduisit Julia.

– Ça doit être la devise de la famille Moore, ajouta Jason.

Les jumeaux s'agrippèrent aux barreaux, et Rick glissa sa torche dans un interstice. Le mince faisceau révéla une galerie pavée de pierres claires, en partie naturelle et en partie percée par l'homme.

– Regarde ! s'exclama tout d'un coup Jason.

Il attrapa Rick par la manche et guida son bras. La lampe se braqua sur une plaque fixée à mi-hauteur dans la paroi. Elle précisait :

Ici reposent
Les générations passées
De la famille Moore,
Curieuses face à l'Au-delà.
Originaires de Londres,
À Kilmore Cove ils s'installèrent,
À l'endroit que choisit
L'ancêtre-souche Xavier,
Qu'embellirent Raymond Moore
Et sa femme Mme Fiona.
Et que perfectionna
avec passion et modestie
Leur petit-fils William.

Kilmore Cove, parc aux Tortues
129-1580 après J.-C.

– On est à l'entrée du mausolée de la famille Moore ! s'écria Rick. C'est l'endroit dont le père Phénix m'a parlé !

Jason poursuivit :

– On serait donc sous le parc aux Tortues ?

– Il y a de fortes chances.

Les trois enfants regardaient perplexes le couloir baigné d'une lumière bleutée. Un courant d'air glacial soufflait là.

– Dire qu'il y a des gens enterrés ici ! J'en ai la chair de poule..., chuchota Julia. Si on s'en allait ?

– Non, il faut qu'on entre, rétorqua Jason. À mon avis, le lieu du commencement se trouve précisément là-derrière, et on risque d'y trouver les réponses à nos nombreuses questions.

Le garçon essaya de pousser le battant, qui résista.

– Il n'y a rien à faire ! pesta Jason.

– On ne devrait pas perturber le sommeil des défunts, fit Rick, mal à l'aise.

Il avait l'impression que les stalactites de calcaire blanc s'étaient soudain transformées en autant de spectres.

– Ils sont morts et enterrés. Qu'est-ce que tu veux qu'ils nous fassent ?

– Je ne sais pas…, chuchota Rick pensif.

Il se posait beaucoup de questions depuis la disparition de son père.

Julia tenta de raisonner son frère :

– Jason, laisse tomber ! On n'a pas les clefs.

– Et qui peut bien les avoir ?

Jason s'éloigna de la grille, profondément déçu.

– L'ancien propriétaire sûrement, répondit Julia. Il doit posséder toutes les clefs de la Villa Argo. On n'a qu'à les demander à papa ou à Nestor.

Rick prêta la torche à Jason et rejoignit le sentier.

Devinant son malaise, Julia vint le rejoindre. Elle posa sa main sur son avant-bras et murmura :

– On continue ?

Elle allait ajouter quelque chose, mais les mots s'étranglèrent dans sa gorge.

Elle jeta un dernier coup d'œil en arrière. C'est alors que son attention fut attirée par des grincements aigus en contrebas. Elle scruta la pénombre et riva les yeux, interdite, sur le clou en forme de bec de héron : le câble qui soutenait le monte-charge coulissait lentement.

L'ascenseur était en train de monter.

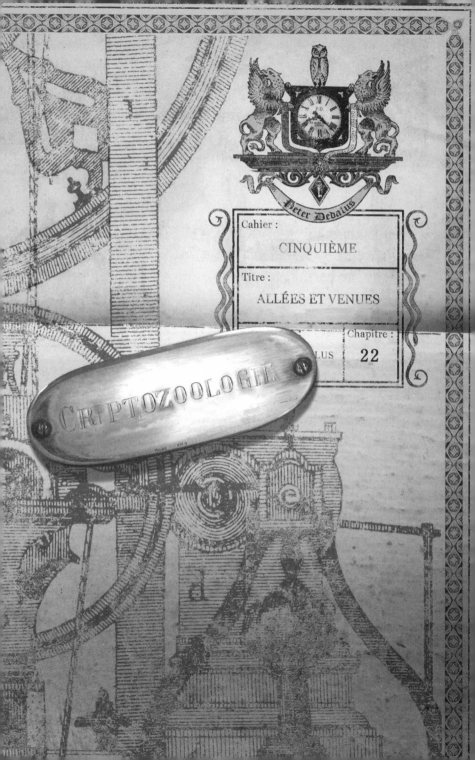

Peter Dedalus

Cahier :

CINQUIÈME

Titre :

ALLÉES ET VENUES

Chapitre :

22

CRYPTOZOOLOGIE

N estor n'arrêtait pas de regarder sa montre. Dix-huit heures... Les enfants n'étaient toujours pas rentrés. Ils avaient largement dépassé le temps qu'il leur avait accordé...

Heureusement, personne ne lui avait posé de questions. Mme Covenant était bien trop occupée par ses rangements. Quant à M. Covenant, il avait téléphoné en milieu d'après-midi pour prévenir qu'il arriverait plus tard que prévu. La route, avait-il expliqué, était impraticable, et il ne fallait pas l'attendre avant ce soir. Il s'était permis par ailleurs d'inviter Homer à dîner.

– Quelle perte de temps! marmonna Nestor dans sa barbe. Tout cela n'est qu'une pure perte de temps!

Il marcha en boitant jusqu'à sa bicoque en bois à l'ombre des arbres du parc, entra et s'arrêta devant la glace. Il fixa dans les yeux l'image que le miroir lui renvoyait et s'interrogea à voix haute:

– J'aurais peut-être dû leur parler de Léonard...

Il plia distraitement les vêtements qui traînaient çà et là, tout en secouant la tête de gauche à droite, tel un cheval qui s'ébroue. Qu'est-ce que Rick, Jason et Julia pouvaient bien fabriquer?

Lorsque les enfants étaient revenus de leur voyage à Venise, ils étaient dans un triste état. Ils avaient pris beaucoup de risques pour retrouver Peter. Du coup, Nestor avait décidé de calmer le jeu. Il ne voulait pas que cela se reproduise pour Black Volcano.

Par ailleurs, plus il réfléchissait, plus il pensait savoir où l'ancien chef de gare avait pu cacher les clefs.

Black aimait la vie et les bonnes choses. C'était évident que, s'il devait choisir entre des océans déchaînés, des glaces éternelles, des montagnes enneigées, des jungles ou un paisible jardin des délices, il préférerait se réfugier dans le jardin. Et puis, c'était l'endroit que Black connaissait le mieux.

Mais tout cela n'était que des suppositions. C'était aux enfants d'en décider. De s'en convaincre. De percer le mystère, s'ils le souhaitaient.

Le vieux jardinier se replaça devant le miroir :

– C'est vrai, c'est l'affaire de Rick, Jason et Julia... Mais rien ne m'empêche de leur donner un petit coup de main.

Il attrapa sa casquette, sortit, traversa la cour et se dirigea vers la porte de la cuisine de la Villa Argo.

Il venait de tourner à l'angle de la maison, lorsqu'une vieille Chevrolet turquoise transportant plusieurs passagers s'engagea dans l'allée principale et stoppa devant le perron.

«Il était temps!» se dit le jardinier.

Nestor entendit Mme Covenant traverser le hall du rez-de-chaussée et demander:

– Vous êtes Gwendoline, je suppose? Enchantée! Je suis Mme Covenant.

Nestor se sentit rassuré.

Il s'introduisit discrètement dans la cuisine, monta au premier étage en effleurant au passage quelques portraits d'ancêtres et prit le chemin de la bibliothèque. Une fois à l'intérieur, il passa la tête dans l'entrebâillement de la porte, s'assura que personne ne l'avait suivi et referma précautionneusement le battant. Il s'approcha des rayonnages d'histoire et retourna les quatre plaques de cuivre.

Un *clack* imperceptible se fit entendre derrière la paroi.

Nestor lança un dernier coup d'œil par-dessus son épaule puis se faufila dans l'étroit passage secret qui venait de s'ouvrir.

Le jardinier déboucha dans une minuscule pièce sans fenêtre, éclairée par une petite lampe qui s'allumait à chaque fois que le mécanisme était activé. Dans un coin, un escalier à vis montait vers la pièce de la tourelle; dans l'autre, une table basse était encombrée de maquettes de bateaux et de carnets en cuir noir.

Nestor lissa sa barbe et sélectionna parmi les modèles réduits reconstitués à la perfection un curieux dromadaire en tissu richement bardé.

– Voilà le vaisseau du désert ! s'écria-t-il.

Il s'agenouilla devant la pile de carnets de voyage, en feuilleta quelques-uns rapidement et fourra le dernier dans sa poche :

– ... et le carnet correspondant !

Il s'apprêtait à monter à l'étage lorsque, pris d'un doute, il revint sur ses pas, se colla contre la cloison et écouta.

Il lui avait semblé reconnaître une voix masculine familière. Mais, comme elle était très lointaine, il n'en était pas sûr.

Il secoua la tête, dubitatif, puis alla récupérer sous les marches une vieille toile enroulée.

– Je vais te faire prendre un peu l'air..., déclara Nestor au portrait d'Ulysse qui était autrefois accroché dans la montée d'escalier.

Il glissa la peinture sous son bras puis grimpa. Il ouvrit la deuxième porte secrète et se retrouva au sommet de la tour. La fenêtre qui donnait sur le parc s'ouvrit alors toute grande et son battant tapa contre le mur.

Nestor s'empressa d'aller la refermer, espérant que personne n'ait entendu.

Il s'attarda quelques instants pour mieux observer la voiture de la coiffeuse. Le portrait de la jeune femme était effectivement peint sur la portière arrière.

Ne remarquant rien d'anormal, Nestor abandonna le carnet et le dromadaire sur le bureau, avant de refermer la porte au miroir derrière lui.

À peine avait-il mis le pied sur la première marche de l'escalier qu'un véritable remue-ménage se fit entendre au rez-de-chaussée. Le jardinier tendit l'oreille, inquiet. Il haussa les épaules : non, ce n'était que Mme Covenant et Gwendoline qui s'installaient dans la cuisine.

Nestor emprunta le couloir qui desservait les chambres des enfants. À mi-parcours, il saisit à bout de bras l'anneau de la trappe du grenier, déplia l'escalier et se hissa sous la charpente de la Villa Argo.

Malgré la pénombre, il rejoignit aisément le bureau de Pénélope, s'approcha du mannequin qui portait la veste aux boutons dorés et un grand chapeau de capitaine et frôla la poignée argentée du sabre.

Il poussa un profond soupir et se dirigea vers le mur opposé.

Clack, fit un autre mécanisme.

Deux minutes plus tard, le vieil homme était dans le jardin.

Olivia Newton s'admirait dans la grande glace dorée du salon. Son visage affichait une expression triomphale.

Elle s'était introduite à l'intérieur de la Villa Argo avec une facilité déconcertante. Gwendoline et Manfred avaient très bien su occuper Mme Covenant, et elle n'avait croisé ni le terrible jardinier ni les enfants.

Olivia était enfin parvenue à ses fins : pénétrer dans la propriété qu'elle avait cherché à acheter par tous les moyens... et dont l'accès lui avait toujours été refusé !

– J'ai réussi ! se vanta-t-elle face à la glace Régence en chêne sculpté.

Elle jeta un coup d'œil autour d'elle. Le salon regorgeait de guéridons, de statuettes et de bibelots provenant des quatre coins du monde. À l'image du lustre vénitien qui trônait au milieu de la pièce, tout ici était clinquant et baroque. Ce qui n'était pas pour lui déplaire, d'ailleurs.

Olivia effleura la soie jaune d'un canapé et laissa glisser son doigt le long d'un vase chinois.

Elle se dirigea ensuite vers la cuisine, où Mme Covenant et Gwendoline étaient en train de bavarder gaiement, et se tapit derrière la porte.

Olivia se pencha légèrement, espérant attirer l'attention de son chauffeur. Manfred était en plein travail : il avait de la mousse brunâtre jusqu'aux coudes, et même sur les verres de ses lunettes de soleil. Malgré une certaine raideur dans ses mouvements, il avait l'air parfaitement à l'aise dans son rôle d'apprenti coiffeur. C'était assez surprenant de voir cet homme à la mine patibulaire maintenir délicatement la nuque de Mme Covenant au-dessus d'une cuvette, alors qu'en d'autres circonstances il n'aurait pas hésité à la noyer, si tels avaient été les ordres de sa patronne.

À ses côtés, Gwendoline rapportait à sa cliente les ragots du pays, tout en scrutant la pièce dans ses moindres recoins.

Dès qu'il aperçut Olivia, Manfred balbutia quelques monosyllabes incompréhensibles, abandonna sa cliente sans aucune explication et rejoignit sa patronne.

– Et le jardinier ? lui demanda-t-il d'emblée.

Olivia fit mine de lui caresser le visage, avant de lui pincer fermement le menton :

–Manfred, trésor, ne t'inquiète donc pas ! Apparemment, il ne nous a pas vus.

Le malfrat acquiesça, peu convaincu. Faisant mine de ne pas sentir les griffes de sa patronne, il redressa sa casquette de baseball :

–Tant mieux !

–Je vais chercher la porte, lui murmura Olivia.

Manfred pointa Gwendoline du doigt :

–Je finis ma couleur et j'arrive...

–Voyez-vous ça ! railla Olivia. Je te laisse une journée et tu changes d'employeur !

–Je n'en ai plus pour longtemps, ajouta Manfred.

–Termine tranquillement, trésor ! Si mes informations sont exactes, il doit y avoir une bibliothèque quelque part. Je vais commencer par là...

Abandonnant Manfred à sa besogne, Olivia partit inspecter le rez-de-chaussée. Elle s'assura que toutes les portes donnant sur le parc étaient bien fermées : elle voulait éviter à tout prix d'être dérangée pendant ses recherches.

Elle n'ouvrirait qu'aux enfants, puisqu'ils étaient censés détenir les clefs de la Porte du Temps. De la *vraie* porte, de la plus ancienne, comme lui avait précisé Peter Dedalus.

Ne trouvant pas de bibliothèque, Olivia décida de monter.

– Ouh, mais voilà ces messieurs Moore ! s'exclama-t-elle à demi-mot en longeant les portraits des ancêtres. Dire que toutes ces crapules ont jalousement gardé secrètes les portes du temps !

Une fois en haut, Olivia n'eut aucun mal à localiser la bibliothèque.

À la seule vue des milliers de livres qui tapissaient les murs de la pièce, elle fut prise de maux de tête :

– À quoi bon garder tout ça ?! s'exclama-t-elle.

Elle détestait la lecture, sous toutes ses formes.

– Voyons, voyons… De quelles plaques Peter voulait-il bien parler ?

Elle s'approcha d'un des rayonnages et retourna quelques barrettes de cuivre. Mais rien ne se passa.

– *Cryp…to…zoo…lo…gie…*, déchiffra-t-elle. Qu'est-ce que c'est que ce truc ?

Elle commençait à perdre patience, quand la plaque *Histoire grecque* pivota sur elle-même, imitée par celles portant la mention *Histoire romaine, Histoire médiévale* puis *Histoire moderne*.

Derrière l'étagère, un pan de mur s'entrouvrit.

Olivia lorgna de l'autre côté et lança :

– Hou-houou… ? Il y a quelqu'un ?

Cahier :

CINQUIÈME

Titre :

LE MYSTÉRIEUX
INCONNU

Impression :	Chapitre :
PETER DEDALUS	23

*Q*uelqu'un remontait des profondeurs de la grotte.

Et seule Julia semblait l'avoir remarqué.

– Julia, ça va ? lui demanda Rick intrigué par son teint livide.

La jumelle n'arrivait pas à détourner les yeux du câble de l'ascenseur qui défilait. Elle n'entendait plus que son couinement.

– Julia ! insista Rick. Y a un problème ?

Il effleura la joue de la jeune fille du revers de la main. Julia se laissa aussitôt tomber dans ses bras.

– L'a...l'ascenseur, réussit-elle à articuler à grand-peine.

Rick se retourna et comprit. Il serra Julia contre lui en criant :

– Jason ! Quelqu'un arrive !

Le jumeau cessa aussitôt de s'intéresser au portail fermé et regarda avec horreur l'anneau en forme de héron. Mais, au lieu de s'enfuir, il s'approcha du bord et braqua sa torche dans l'abîme.

Le faisceau était bien trop faible pour atteindre le fond. Néanmoins, il parvint à éclairer le toit de la cage noire qui continuait de s'élever.

– Jason, éloigne-toi ! hurla Rick.

Jason scruta attentivement les barreaux de l'ascenseur, tentant de deviner une silhouette. Soudain, il eut un haut-le-cœur. Il venait d'apercevoir une ombre. Il y avait effectivement quelqu'un ou quelque chose dans le monte-charge.

– Jason ! le rappela à l'ordre Rick.

– Allez-vous-en ! Sortez par là ! hurla Jason en désignant le sentier qui remontait vers la surface.

Rick et Julia ne se le firent pas répéter. Ils s'éloignèrent, tandis que Jason revenait vers le portail et cherchait la meilleure cachette possible. Il voulait voir sans être vu. Il préférait aussi ne pas tourner le dos à la grille et à l'inquiétant couloir du mausolée.

Il se tapit derrière une coulée stalagmitique et attendit. Il était déterminé. Si tel était bien le lieu du commencement, il allait en avoir le cœur net.

Il entendit l'écho des pas de sa sœur et de Rick. Puis, plus rien.

La cage de fer apparut enfin. D'abord, le toit retenu au câble métallique par un éventail de chaînes puis la cabine ajourée.

Jason sentit son sang se glacer.

Il y avait un homme à l'intérieur.

– Rick, arrête-toi, s'il te plaît ? le supplia Julia quelques mètres plus haut.

Cherchant à reprendre haleine, la jumelle s'appuya contre un rocher poli par l'eau.

La deuxième partie de la grotte était moins impressionnante, et Julia apercevait déjà la lumière du jour au bout du chemin.

– Comment tu te sens ? demanda Rick.

– Mieux, merci.

Mais la jumelle était encore pâle et ses jambes tremblaient.

– Je ne sais pas ce qui m'a pris. J'ai eu très peur. Dire que Jason est toujours là-bas...

Le jeune rouquin acquiesça d'un signe de tête.

– Rick, on ne peut pas le laisser seul.

– Non, mais tu ne...

– Moi, ça va. Je peux me débrouiller. Je t'en prie, vas-y !

Rick se leva. Il avait laissé sa lampe à Jason, mais il se souvenait suffisamment bien du parcours pour repartir en arrière dans le noir.

– OK ! On revient tout de suite ! lança-t-il.

– Vous avez intérêt, sourit Julia, parce que je ne redescendrai pas vous chercher !

Restée seule, la jeune fille posa ses mains sur ses genoux et tourna la tête vers les rayons dorés qui perçaient à l'autre extrémité. Enfin de la lumière...

En moins d'une minute, Rick atteignit le dernier virage avant le portail. Il surprit alors Jason en pleine conversation :

– Comment avez-vous fait ?

Le garçon roux se plaqua contre la roche et avança avec prudence, épousant de tout son corps la paroi humide. La voix de Jason trahissait une vive tension. En revanche, Rick n'arrivait pas à entendre la deuxième personne.

Un pas, deux pas... Rick pencha discrètement la tête : Jason se tenait là, debout devant la grille, la torche à la main.

– Je ne tiens pas à être enterré ici, dit-il.

À ses mots, Rick frissonna d'effroi. Il imagina le pire. Prenant encore plus de précautions, il s'approcha davantage.

Il percevait désormais la voix de l'interlocuteur de Jason. Il avait l'air essoufflé.

– Voilà ce que je vous propose..., poursuivit Jason. On ressort de la grotte par ce sentier et on oublie toute cette histoire, d'accord ?

Soudain, une pierre se déroba sous la chaussure de Rick. Jason se tut immédiatement.

– Qui est là ? demanda l'inconnu.

Rick retint sa respiration. À qui pouvait bien appartenir ce timbre traînant ?

– Rick ? appela Jason en éclairant le chemin avec sa torche.

« Quel imbécile ! » pensa le rouquin, immobile contre la roche.

N'ayant pas de réponse, Jason sembla renoncer à sa proposition. Il se pencha et récupéra la valise en cuir que Rick avait laissée.

– Bon, ben, moi, j'y vais en tout cas ! annonça-t-il.

Le jeune blond s'avança sur le chemin.

Une ombre longiligne le suivit.

Et la lampe de Jason illumina une fraction de seconde le visage hagard de Fred Doredebout.

– Salut, Rick ! le salua le plus naturellement du monde Jason, en passant devant lui. Tu as vu qui était dans l'ascenseur ?

– Mais... Comment a-t-il fait ?

– Figure-toi qu'il nous a suivis dans le tunnel, pendant qu'on explorait la locomotive. Lorsqu'il est finalement monté à bord, le train est parti comme une fusée. Il était encore sur le marchepied et il s'est agrippé de toutes ses forces aux barres. Après, il ne se souvient plus de rien : il s'est évanoui. Quand il s'est réveillé dans la grotte, les lampions étaient déjà allumés.

– Ensuite, j'ai pris l'ascenseur, poursuivit Fred. Je n'avais pas envie de me fatiguer. C'est déjà assez dur comme ça, non ?

– C'est... sûr ! balbutia Rick, abasourdi.

– Et Julia, où est-elle ? s'inquiéta Jason.

– Elle a dû rejoindre la surface, l'informa Rick en indiquant la lumière à l'autre bout.

Les garçons et Fred Doredebout remontèrent le sentier. Quelques mètres avant la sortie, Jason s'écria :

– C'est étrange, cet endroit me dit quelque chose...

Ils traversaient une dernière caverne. Il y régnait une odeur pestilentielle. Par terre gisait un amas de plumes et de déchets de poisson.

– Mais oui, c'est ça ! On est au parc aux Tortues !

– Tant mieux ! s'exclama Fred Doredebout. Ça fait des années que je voulais venir ici !

Vingt minutes plus tard, les enfants et Fred Doredebout se retrouvèrent à l'air libre.

Les rayons du soleil rasaient le parc aux Tortues, et on entendait çà et là des chants d'oiseaux, de cigales et de grillons. Les mauvaises herbes et les buissons d'épines avaient envahi les allées autrefois bien entretenues.

Lorsque Julia les vit arriver, elle éclata d'un rire nerveux en découvrant l'identité du mystérieux inconnu. Après avoir écouté le récit de Rick et de Jason, elle se souvint des gémissements qu'elle avait entendus lors du départ de la locomotive. Elle avait alors cru qu'ils étaient dus à la mécanique du train à vapeur.

À son tour, elle fit part aux garçons de ce qu'elle avait découvert : une construction ronde à colonnade, tournée vers la mer, qui ressemblait à un petit temple antique. Elle venait de localiser un des mystérieux lieux cités par Raymond Moore dans son article. L'emplacement d'une porte du temps.

C'était l'autre accès au mausolée de la famille Moore.

Apparemment, les tombes des anciens propriétaires possédaient deux entrées : l'une exposée à la lumière, l'autre protégée par l'obscurité...

... et un train spécial.

Fred se désintéressa très vite de la conversation et prit congé, prétextant qu'il avait beaucoup de travail à rattraper après tous ces événements.

Jason attendit de voir disparaître la silhouette de l'employé de mairie avant de proposer à Rick et à Julia de leur montrer la maison abandonnée où Léonard l'avait conduit la veille.

–Vous allez voir... Ils ont tous écrit leur nom sur les murs. Et c'est là que se trouve le puits par lequel Black Volcano est descendu explorer la dernière partie de la grotte.

–Tu veux dire que tout a commencé ici? releva Rick.

–Peut-être bien, répondit Jason. Ou que tout s'est terminé, vu comment les choses ont tourné.

On sentait une certaine déception chez le garçon. Tout compte fait, ils n'avaient quasiment rien appris au sujet de la Première Clef et de Black Volcano, si ce n'est que le chef de gare avait quitté le pays par la porte du temps adossée à sa locomotive.

Le soir tombait. Le temps qui leur était imparti était largement écoulé. « Trois heures maximum », leur avait recommandé Nestor avant de partir.

–Il y a un raidillon qui descend à la Villa Argo, expliqua Jason. C'est le chemin le plus court pour rentrer.

–Et la barque, on ne retourne pas la chercher? demanda Julia.

–Ne t'en fais pas : personne ne va la voler. Surtout pas dans un village de pêcheurs !

Cahier :

CINQUIÈME

Titre :

DES COUPS RÉPÉTÉS

Impression :	Chapitre :
PETER DEDALUS	**24**

L'heure de la fermeture approchait, quand Calypso perçut un bruit étrange dans la librairie. Elle reposa le livre sur les constellations qu'elle feuilletait et tendit l'oreille. C'étaient des petits coups sourds et réguliers. Cela ressemblait au balancier d'une horloge.

Calypso commençait à élaborer toutes sortes d'hypothèses, quand le silence revint.

«Mon imagination me joue des tours», se dit la libraire qui se replongea dans sa lecture. Cet album allait sûrement bien se vendre : il avait l'avantage d'être phosphorescent, donc de pouvoir se lire dans le noir, à l'insu des parents.

Mais les battements reprirent de façon plus nette. Plus saccadés, plus insistants. Comme si quelqu'un frappait contre le mur.

Boum-boum.

Boum-boum.

Boum-boum.

Cela provenait de l'arrière-boutique.

– Ce n'est pas possible ! fit Calypso en s'approchant du comptoir.

Pourtant, le son s'amplifiait, la cadence s'accélérait.

Boum, boum, boum.

Boum, boum, boum.

Boum, boum, boum.

Calypso, les mains sur ses hanches, écouta ce mystérieux appel qui enflait et se propageait dans tout le magasin. Elle contourna la caisse et écarta le rideau, dévoilant une vieille porte à la serrure compliquée. Les pulsations provenaient bien de l'autre côté du battant.

Boum, boum, boum, boum.
Boum, boum, boum, boum.
Boum, boum, boum, boum.

Calypso ne l'avait jamais ouverte. D'ailleurs, cela faisait des années qu'elle n'avait plus la clef. Elle l'avait confiée à Léonard.

Sur son anneau était ciselée une baleine.

– Je... je rêve ou quoi ? bredouilla la libraire.

Elle caressa le bois sombre.

Les battements s'affolèrent. Désormais, ils s'apparentaient à un tambour rythmant une danse tribale.

« À moins que... Mais, oui ! réalisa Calypso, parcourue d'un grand frisson. On dirait un cœur qui s'emballe... ou qui s'affole ! »

Elle plaqua l'oreille contre la porte et se laissa envahir par ces trépidations qui la remuaient au plus profond de sa chair.

– Léonard ? appela-t-elle à travers le battant.

Immédiatement, le bruit cessa.

La petite femme recula subitement, comme foudroyée.

– Non! cria-t-elle en se précipitant hors de la boutique. Non, Léonard, nooon!

Elle prit ses jambes à son cou et traversa le village en ne pensant plus qu'à une chose : gagner la mer au plus vite. Malgré ses rondeurs, elle courait à perdre haleine, son chignon à moitié défait et ses tongs à fleurs claquant sur les pavés.

Elle passa devant la pâtisserie Chubber, la statue du roi William-V et ne s'arrêta qu'au bout du promontoire escarpé qui se trouvait dans le prolongement de la place.

Elle scruta l'horizon puis le phare.

Aucune embarcation en mer. Aucun bateau amarré à la presqu'île.

Pourtant, Calypso avait le pressentiment qu'il s'était passé quelque chose, au large des côtes. Elle avait des fourmis dans les mains et ses oreilles lui faisaient mal, comme si elles étaient bouchées. Elle plaqua ses mains sur ses tempes.

Que pouvait-elle faire ?

La libraire regarda autour d'elle, paniquée. C'est alors qu'elle remarqua une barque échouée sur la plage de la baie aux Baleines.

L'*Annabelle*.

– Léonard, non ! gémit Calypso.

– Madame ! Madame ? Tout va bien ? l'interpella une voix dans son dos.

Calypso se retourna. Un homme l'avait rejointe. Il avait garé sa voiture quelques mètres en amont. Par la portière ouverte, Calypso aperçut un passager resté à l'intérieur.

– Je vous ai vue dévaler la rue affolée, expliqua l'inconnu. Je ne voudrais pas me mêler de ce qui ne me regarde pas, mais vous avez un problème ?

Calypso secoua la tête :

– Je n'en sais rien, à vrai dire.

Cette voix lui était vaguement familière, mais elle n'en était pas sûre...

– On peut vous aider ? Je suis M. Covenant de la Villa Argo.

Et son index se leva en direction de la falaise.

Le regard de Calypso suivit son doigt puis redescendit vers la plage et la barque.

– Je crois qu'un de mes amis est en difficulté.

– Quel genre de difficulté ?

– Vous savez ramer ? lui demanda de but en blanc la libraire.

*I*l était un petit peu moins de dix-neuf heures lorsque Jason, Julia et Rick franchirent le portail de la Villa Argo. Ils se faufilèrent discrètement à l'ombre des grands arbres et contournèrent le parc jusqu'à la dépendance du jardinier.

– Nestor !

Des pas incertains crissèrent sur le parquet et la porte s'ouvrit :

– Vous voilà enfin ! s'exclama le jardinier. Où étiez-vous donc passés ?

Les enfants lui résumèrent brièvement leur après-midi.

Après les avoir patiemment écoutés, Nestor se laissa tomber dans un fauteuil :

– Je le pressentais, fit-il pour tout commentaire.

Puis, le vieil homme se ressaisit et se leva :

– Bon ! La journée touche à sa fin. C'est bientôt l'heure du dîner.

– Et on n'est pas plus avancés, surenchérit Rick.

– Vous avez au moins découvert une chose : Black est passé par la porte du cheval, déclara le jardinier.

Il leur indiqua la tourelle et ajouta :

– Rien ne vous empêche d'aller fouiller dans les affaires de l'ancien propriétaire. Vous allez peut-être découvrir où la porte mène...

– C'était notre idée, répondit Jason.

– Vous nous accompagnez ?

Nestor sourit :

– Désolé, Julia, je ne peux pas. Votre mère est à la maison, et je ne crois pas qu'elle apprécierait de me voir aller et venir chez vous comme dans un moulin... Tenez, quand on parle du loup...

Mme Covenant, accompagnée d'une jeune femme, venait d'apparaître sur le perron de la cuisine. Ce n'est qu'à ce moment-là que les enfants constatèrent qu'une voiture bleue était garée dans la cour, près de la bicyclette de Rick.

– Qui est-ce ? demanda Julia, sur la défensive.

Jason n'eut aucun mal à reconnaître la visiteuse. C'était la jolie brunette qui lui avait sculpté les cheveux en brosse deux jours auparavant.

– La coiffeuse, voyons ! murmura-t-il.

À bien y regarder, la mère des jumeaux arborait en effet une nouvelle coupe surprenante.

Mme Covenant raccompagna Gwendoline Mainoff jusqu'à sa voiture, tout en bavardant joyeusement. La coiffeuse jeta sa mallette en aluminium sur le siège arrière et serra la main de sa cliente.

– Et votre apprenti ? s'enquit Mme Covenant, intriguée.

– Oh, ne vous inquiétez pas ! répondit Gwendoline, mal à l'aise. Il préfère se dégourdir les jambes et commence à rentrer à pied. Je le récupérerai un peu plus loin sur la route.

– Je vous attends dans deux semaines alors !

– C'est ça, c'est noté ! Au revoir, madame... et saluez les enfants de ma part ! lança Gwendoline installée au volant.

Elle fit un habile demi-tour, et la Chevrolet disparut derrière les énormes piliers qui délimitaient la propriété.

Rick et les jumeaux se glissèrent dans la cuisine de la villa, affichant l'air le plus naturel possible. Ils n'avaient qu'une idée en tête : monter au plus vite au premier étage et esquiver les questions de Mme Covenant.

Ils la trouvèrent en train de balayer les cheveux éparpillés sur le sol en sifflotant.

– Les enfants...

– Maman ! Tu es toute belle ! l'interrompit aussitôt Julia.

– Ah, bon ! Ça te plaît ? Merci ! C'est vrai que je suis assez contente du résultat.

– Tu es très bien coiffée... Ah, on monte un moment à la tourelle, d'accord ?

– Entendu !

Mme Covenant consulta sa montre :

– Papa et M. Homer devraient arriver d'un instant à l'autre. Ils ont été retardés. Qu'est-ce que vous aimeriez manger ce soir ?

Mais déjà, le trio avait disparu.

La pièce de la tourelle offrait à cette heure-ci un panorama à couper le souffle. La mer s'était teintée de violet, et le ciel n'était plus qu'un dégradé d'ocres et d'orangés. Les nuages, de plus en plus nombreux, jouaient avec les derniers rayons du soleil.

Les enfants restèrent immobiles, dans la pénombre. Ils savouraient le silence qui n'avait rien d'oppressant, contrairement à celui qui régnait dans la grotte...

Jason, Rick et Julia effleurèrent la collection de bateaux d'Ulysse Moore et les carnets de voyage dont ils s'étaient servis jusqu'à maintenant.

– Regardez ! s'écria soudain Jason.

Il venait de remarquer sur le bureau un nouvel exemplaire et un curieux objet en tissu.

– Qu'est-ce que c'est ?

– Qui les a mis là ?

– C'est sûrement le fantôme ! À tous les coups !

Rick attrapa le carnet, s'approcha de la fenêtre et commença à le parcourir, profitant des derniers rayons de lumière. Puis il releva la tête et fixa la bicoque en bois de Nestor. Il était certain que le vieux jardinier était assis là, dehors, et l'observait.

– Vous ne trouvez pas ça curieux? Nestor vient de nous suggérer d'aller fouiller dans la tourelle et, comme par hasard, on tombe sur une piste!

– Brrr... J'en ai la chair de poule, avoua Julia. J'ai toujours l'impression que quelqu'un surveille nos faits et gestes. Comme si l'ancien propriétaire nous épiait derrière les cloisons.

– Mais c'est la réalité, Julia! s'écria Jason. On le sait bien. En tout cas, on détient les deux indices qui nous manquaient. Au fait, Rick, de quoi ça parle?

– D'un jardin... Le jardin d'un dénommé Prêtre Jean. Vous connaissez?

Les jumeaux secouèrent la tête.

Rick poursuivit:

– Il y a des extraits d'une lettre[1] que le Prêtre Jean aurait envoyée en 1165 au pape Alexandre III et aux empereurs de Byzance et du Saint Empire romain germanique. Écoutez! «Moi, Prêtre Jean, je suis le souverain des souverains et je dépasse les rois de la Terre entière par les richesses, la vertu et la puissance. Soixante-douze rois sont mes tributaires. [...]

---

1. Extraits de la «Lettre du Prêtre Jean à Manuel, gouverneur des Roméens» adressée à l'empereur Manuel Ier Comnène de Byzance.

Notre terre s'étend d'un côté jusqu'à presque quatre mois de marche et, de l'autre, jusqu'à une distance que personne ne peut connaître.» Il précise que ses troupes sont composées de dix mille soldats et cent mille hommes de pied! Et ce n'est pas tout: il décrit ensuite les richesses de son royaume. Il est notamment question d'une fontaine miraculeuse dont les eaux protégeraient de la maladie et de la vieillesse.

– Une fontaine de jouvence, en quelque sorte.

– Ça y ressemble, fit Rick.

Un croquis d'Ulysse illustrait le texte. On y voyait une fontaine au milieu d'un pré.

Rick se replongea dans la lecture:

– À la suite de cette fameuse lettre, des dizaines d'expéditions prirent la route de l'Orient, en quête de ce royaume. Mais personne ne l'aurait jamais localisé et beaucoup de gens périrent au cours du voyage. Seul Marco Polo dit avoir reconnu les descendants du Prêtre Jean.

– Vous vous souvenez? lança Jason. Il est arrivé la même chose aux aventuriers qui recherchaient le Pays de Pount.

– Tu as raison.

– Ça n'explique pas ce que ce dromadaire vient faire dans l'histoire, intervint Julia.

Rick sauta plusieurs pages. Il finit par tomber sur un dessin représentant une caravane de dromadaires :

– Ah ! Apparemment, certains marchands de Mésopotamie connaissaient la route qui menait au jardin du Prêtre Jean et tissèrent des liens commerciaux avec le souverain. Ils troquaient des épices contre de l'or et des pierres précieuses... Hé, voilà qui est intéressant : en arabe, « dromadaire » se dit « navire du désert »...

Julia éclata de rire :

– Il ferait donc lui aussi partie de la collection de maquettes de bateaux de l'ancien propriétaire ?

– Sans doute, répondit Rick.

Le garçon survola le carnet puis le referma et le passa à Jason :

– Il y a un tas de choses là-dedans. J'ai repéré une carte du royaume avec les noms des palais. Mais on n'a pas le temps de regarder maintenant.

– Oui, on doit partir, acquiesça Jason.

– Tu plaisantes, j'espère ? s'exclama Julia. Je suis crevée.

– Oh ! Tu nous casses les pieds ! On n'a pas de temps à perdre.

– Tu n'as qu'à y aller tout seul ! s'énerva Julia.

Elle sortit de sa poche les quatre clefs et les posa sur le bureau :

– Moi, je suis trop fatiguée.

– Mais, Julia, tu ne comprends pas ! C'est là-bas que se trouvent Black Volcano et la Première Clef ! Tout s'éclaire enfin ! Il a sûrement baptisé sa locomotive « train de l'éternelle jeunesse » à cause de cette fontaine !

– À mon avis, c'est bien plus romantique que ça, rétorqua-t-elle. Son train s'appelle CLIO en hommage à Clitennestra Biggles, et je suis prête à parier que le numéro qui suit, 1974, correspond à l'année de leur rencontre. C'est le train de l'éternelle jeunesse, car l'amour rend éternellement jeune.

Rick et Jason étaient stupéfaits.

– Tu sais quoi, petite sœur ? Vous les filles, vous avez vraiment une autre façon de penser, n'est-ce pas, Rick ?

– Julia n'a pas tort.

– Manquait plus que ça : que tu prennes sa défense ! pesta Jason.

– Écoute, on ne peut pas se mettre en route maintenant, expliqua Rick. Vous allez bientôt passer à table, et vos parents vous attendent. Il vaut mieux repousser le départ à demain.

– Tu oublies Olivia. Elle va nous devancer ! insista Jason.

Brusquement, la fenêtre de la tourelle s'ouvrit d'un coup sec. Une main se leva dans la pénombre et se plaqua sur la bouche de Jason.

– Pas un mot, petits morveux..., intima Manfred.

Il souleva Jason de terre comme une vulgaire poupée de chiffon :

– ... ou je tords le cou à votre copain !

Olivia s'avança vers le bureau de l'ancien propriétaire et caressa les quatre clefs.

– Tu voulais prendre de mes nouvelles, mon chéri ? siffla-t-elle telle une vipère. Je te l'annonce : je pars sur-le-champ !

Cahier :

CINQUIÈME

Titre :

LE NOYÉ

Impression :

PETER DEDALUS

Chapitre :

26

L'Annabelle progressait à coups de rame réguliers sur la mer calme et s'éloignait de la baie de Kilmore Cove. Calypso se tenait à la proue et scrutait la surface ondulée par la houle.

– Par là ! ordonna-t-elle.

Elle désigna un point qu'elle seule distinguait dans ces eaux de plus en plus sombres.

Elle était sûre d'elle. Elle savait quel cap il fallait suivre, comme si un sixième sens la guidait.

M. Covenant et M. Homer échangeaient des regards sceptiques. Cela leur avait semblé tout à fait normal de voler au secours d'une pauvre femme en difficulté. Un peu moins de prendre la mer à une heure aussi tardive. Et vraiment étrange de s'éloigner autant des côtes à la rame. Cela méritait une explication.

– Madame Calypso, excusez-moi, l'apostropha M. Covenant sans ralentir la cadence, je ne comprends pas très bien ce que nous sommes venus faire...

La libraire ne daigna pas se retourner. Les yeux plissés, elle balayait l'immense étendue violacée :

– On recherche un de mes amis.

– J'ai compris. Mais pourquoi ici précisément ? insista M. Covenant.

– Parce qu'il est quelque part par là.

Homer se plia en deux et ramena l'aviron à lui :

– Et c'est encore loin ?

Notant une pointe d'agacement dans la voix de son interlocuteur, Calypso fit volte-face :

– Je vous assure, messieurs, que je ne suis pas folle !

– Oh, mais personne n'a rien dit ! s'empressa de rectifier le déménageur.

– C'est ce que vous pensez néanmoins ! Ça se voit sur votre figure. Je conçois que vous soyez inquiets, messieurs, mais j'ai le pressentiment qu'il est arrivé quelque chose de grave... tout près d'ici. Je ne peux pas vous en dire davantage, je vous demande encore un peu de patience et quelques efforts.

Calypso esquissa un sourire et posa sur les deux hommes ses grands yeux doux :

– Savez-vous que je cuisine le homard à merveille ? À notre retour, on fixe une date et je vous invite à dîner. Qu'en dites-vous ?

– Si vous nous prenez par les sentiments..., répondit M. Covenant, nous ne pouvons pas refuser de vous rendre service, n'est-ce pas, Homer ?

– Euh... Effectivement, balbutia le déménageur, pas franchement emballé par la proposition.

Décidément, les habitants de ce village étaient bizarres : Nestor l'avait payé pour faire traîner le

déménagement, puis, à son arrivée, on l'avait confondu avec Ulysse Moore et poursuivi jusque sous la fenêtre de sa chambre d'hôtel. Et, pour couronner le tout, une vieille lunatique lui avait demandé de ramer jusqu'au large pour rechercher, soutenait-elle, un ami en difficulté !

– On y voit de moins en moins, dit-il en avalant sa colère.

Aussitôt, comme par enchantement, le phare de Kilmore Cove s'alluma.

– Ça vous convient ainsi ? plaisanta M. Covenant.

– Ici ! s'exclama tout d'un coup Calypso, l'index pointé sur la mer. Vous la voyez ?

– Quoi ?

Les deux hommes cessèrent de ramer et regardèrent dans la direction indiquée. La mer avait revêtu une couleur encre et la ligne de l'horizon devenait de plus en plus floue. C'était tout ce qu'ils voyaient.

C'est alors que le faisceau du phare pivota et éclaira une forme allongée à la surface de l'eau. Elle oscillait de droite à gauche... On aurait dit un grand oiseau marin aux ailes déployées. L'apparition dura quelques secondes puis la silhouette plongea.

– Une queue de baleine ! cria M. Covenant. Je n'ai pas rêvé ? C'était bien une baleine ?

–Oui, oui! confirma Calypso. Vite, faisons demi-tour!

–Co... Comment ça? demanda Homer, affolé. On ne risque pas de chavirer?

–Non! Allez, dépêchons-nous! intima Calypso.

Les deux hommes s'exécutèrent et ramèrent aussi vite qu'ils purent. Soudain, la barque heurta quelque chose.

–La baleine! hurla Homer dans tous ses états.

–Oh, non! gémit Calypso en se penchant immédiatement par-dessus bord.

Il y avait un homme à la mer.

–Léonard!

M. Covenant ôta sa chemise et ses chaussures puis sauta.

–Faites attention! lui hurla Homer, debout dans la barque.

M. Covenant s'approcha du corps du noyé et tenta de le ramener à la nage.

–Il est vivant? s'enquit Calypso.

–Il... a... l'air..., répondit M. Covenant en peinant sous l'effort. Oui, oui... il respire! Il est... juste... inconscient.

Il lui arracha son masque.

–Il a encore son équipement de...

– Heureusement ! Sans son gilet, il aurait sûrement coulé !

– Il est trop lourd… Je ne vais pas pouvoir le remonter.

Sur ces paroles, M. Covenant détacha les bouteilles d'oxygène et les laissa tomber au fond de l'eau, sans même chercher à les récupérer.

Il essaya ensuite de hisser le plongeur dans l'embarcation, tandis que Homer et Calypso saisissaient Léonard sous les bras. Mais la manœuvre échoua.

– Hé, ce n'est pas un petit gabarit, votre ami, madame !

– Poussez-le !

– Oh ! hisse !

– Et vous tirez-le ! Attention à ne pas tomber !

Le corps de Léonard se plia en deux sur le bord de la barque, avant de basculer et de s'écraser au fond de la coque.

– On a réussi ! lança Homer, incrédule.

Calypso s'agenouilla auprès du gardien, écarta ses cheveux et tenta de le ranimer.

Le déménageur tendit une main à M. Covenant pour l'aider à remonter :

– Courage ! Vous y êtes presque !

– Pououh ! soupira M. Covenant. J'ai cru qu'on y arriverait jamais !

–Je vous avoue, moi aussi, admit Homer.

Ils se turent. Autour du bateau, l'eau s'était brusquement obscurcie, l'écume s'était mise à mousser... Soudain, telle une torpille, la baleine perfora la surface, s'arc-bouta et replongea en fouettant l'air de sa nageoire caudale. Un fracas assourdissant se répercuta plusieurs kilomètres à la ronde.

Les occupants de l'*Annabelle* restèrent un long moment silencieux avant de se décider à parler.

–On a eu de la chance, commenta Homer. Un mètre de plus et...

–C'est vrai, acquiesça Calypso.

–On est tellement petits qu'elle ne s'est peut-être même pas aperçue de notre présence, lança Homer.

–Je ne sais pas..., fit M. Covenant. J'avais plutôt l'impression qu'elle voulait nous saluer.

Il se retourna vers Calypso :

–Non, je me trompe ? Vous ne croyez pas vous aussi que cette baleine nous a... en quelque sorte aidés ?

–Si, si, répondit la libraire, j'en suis persuadée. Elle nous a appelés. Ce n'est pas par hasard si cette baie porte son nom. Les Anciens l'avaient baptisée « la baie de l'Appel des baleines ».

–J'ai du mal à réaliser ce qui s'est passé, reprit M. Covenant. C'était incroyable.

– Vous pouvez le dire. Je donnerais n'importe quoi pour revivre ce moment..., murmura Calypso.

Un bruit tonitruant l'interrompit. On aurait dit un coup de tonnerre ou un geyser en activité. Le souffle de la baleine remplit l'air. Les occupants de la barque eurent à peine le temps de comprendre ce qui se passait qu'un jet de vapeur chaude les aspergea.

– Mais, mais... Qu'est-ce que c'est que ça? bredouilla Homer complètement trempé. Pouah! Quelle horreur!

À cet instant, le noyé toussa violemment et ouvrit son unique œil. Pris d'une quinte de toux, il regardait autour de lui, cherchant à comprendre ce qui lui était arrivé.

– C'est moi, Léonard, le rassura Calypso.

D'une voix faiblarde, il murmura :

– Ban... ner...

– Covenant, se présenta le nouveau propriétaire. Et l'autre monsieur, c'est Homer, le gérant de l'entreprise de déménagement.

– Je l'ai vu! poursuivit Léonard.

– Quoi? releva Calypso.

Léonard n'avait pas complètement retrouvé ses esprits. Il tâta sa poitrine et se leva, chancelant :

– Non! Je l'ai perdue! Elle est tombée!

– Arrêtez de vous agiter ainsi, s'il vous plaît ! ordonna M. Covenant, qui avait peur que la barque se retourne.

Mais Léonard était en proie à une vive agitation :

– J'ai trouvé le voilier !

Le visage du gardien exprimait une certaine folie.

– Je l'ai trouvé, Calypso ! Il est là au fond ! C'est... le navire de Raymond Moore. Celui avec lequel il a débarqué à Kilmore Cove.

– Léonard, calme-toi ! lui intima Calypso.

– Dire que j'étais là... Je n'avais plus d'air...

Minaxo s'assit dans le fond de la barque :

– Il a fallu que je remonte en vitesse avant qu'il ne soit trop tard... Je devais respecter mes paliers... et la baleine est arrivée... Une baleine, tu te rends compte, Calypso ? Elle m'a poussé vers la surface... On aurait dit qu'elle savait tout.

– Qu'est-ce que tu veux dire ?

Minaxo palpa son torse, fit glisser sa fermeture Éclair et passa une main sous sa combinaison. Il en extirpa une montre en métal.

– Je ne l'ai pas perdue ! triompha-t-il, tandis que l'*Annabelle* tanguait sur les flots.

Il montra l'objet à la libraire puis aux deux hommes.

C'était une montre de plongée. Au milieu de son cadran figurait une chouette.

— Belle pièce ! le félicita M. Covenant. Cela me rappelle que l'heure tourne et que nous sommes attendus. Ma femme doit commencer à s'inquiéter.

— Je l'ai récupérée dans la coque du bateau de Raymond Moore, expliqua Léonard à Calypso. Dans son vieux voilier du XVIᵉ siècle.

Homer se pencha sur l'objet et pinailla :

— Ça me semble difficile d'affirmer qu'elle date du XVIᵉ siècle.

— Il y avait Banner emprisonné à l'intérieur, lâcha d'une traite Léonard. C'est là-dessous qu'est mort le père de Rick.

Peter Dedalus

Cahier :

CINQUIÈME

Titre :

LE COULOIR
DE LA MORT

Impression :

PETER DEDALUS

Chapitre :

27

Motis

*J*ulia s'approcha doucement de la porte du temps de la Villa Argo.

– Maintenant, ouvre-la ! Et vite ! ordonna Olivia Newton dans son dos.

La jeune fille hésita. Elle entendait sa mère s'affairer à la cuisine. Il lui suffisait de crier pour la faire accourir... Mais l'homme qui se tenait derrière elle serrait le cou de son frère, le faisant grimacer de douleur.

La jumelle chercha Rick des yeux.

– Obéis ! lui recommanda le garçon.

Le ton de sa voix était ferme. Il avait l'air étrangement sûr de lui, comme s'il concoctait un plan.

Julia approcha les quatre clefs des serrures. L'une après l'autre, elle les fit tourner.

Clack. Clack. Clack. Clack.

– Parfait ! s'écria Olivia devant le battant entrebâillé. Après vous, je vous en prie !

– On va avoir besoin de lumière, prévint Rick.

Olivia saisit le sac à dos de Manfred, fouilla dans son bric-à-brac et en sortit une torche.

– Ça ne sera pas suffisant, insista le jeune rouquin. Il faut aussi prendre des bougies.

– Pouh ! Qu'est-ce que c'est que ces bêtises ? Ça ira très bien. Allons-y !

Olivia poussa Rick et Julia de l'autre côté du seuil et alluma la lampe électrique. Manfred suivit, tenant toujours fermement Jason.

Le petit groupe aboutit dans la pièce circulaire. Quatre issues s'offraient à eux.

– *Si avec quatre une tu ouvres par hasard...*, se mit à réciter Rick, *sur les quatre trois désigne la devise...*

– Qu'est-ce que tu racontes ? railla Olivia.

– *Sur les quatre deux iront à la mort...*, continua Rick imperturbable, *et l'une des quatre mène en bas.*

– Qu'est-ce que c'est que ce charabia ?

– Ces vers permettent de trouver le bon couloir, car un seul descend, rétorqua sèchement Rick.

Olivia Newton eut tout juste le temps d'explorer la pièce avec sa torche. Elle entrevit les lettres gravées sur le sol et les figures d'animaux sculptées sur les poutres au-dessus de chaque ouverture.

Puis, immanquablement, un violent courant d'air glacé provenant du sous-sol s'engouffra. Aussitôt, la Porte du Temps claqua derrière Manfred... et la torche rendit l'âme.

– Jason ! cria Julia, dans le noir.

– Arrgh ! fit ce dernier.

– OUAÏÏÏE...! s'exclama Manfred.

– Maaannfred ! hurla Olivia.

S'ensuivit une pagaille effroyable. Aux cris s'entremêlaient des piétinements, des collisions et de petits pas rapides.

– Jason ! répéta Julia.

– Julia ! répondit son frère. Viens, descends !

– Sale morveux !

– Manfred, ils s'échappent !

– Il m'a mordu !

– Où es-tu ?

– Ici !

– Qui est-ce ?

– C'est moi, Manfred.

Clap ! Chrrrr...

La flamme d'un briquet éclaira le visage du chauffeur :

– Je suis là.

Autour du malfrat et de sa patronne, tout n'était que ténèbres.

– Tu les entends, Manfred ?

– Oui. Ils sont en train de descendre.

– Où ça ?

Le briquet s'éteignit. Manfred en alluma un deuxième et écouta.

Les pas des enfants s'éloignaient. Il avait l'impression qu'ils résonnaient dans deux couloirs différents.

– Difficile de dire... Par ici... Ou par là.

– Décide-toi !

– C'était quoi déjà, leur devise ? demanda Manfred. Deux à la mort, une en bas ?

– Manfred ! s'énerva Olivia Newton. Fais quelque chose, bon sang !

– Où est Rick ? demanda Julia, paniquée. Où est-il ?

Elle tenait fermement la main de son jumeau et courait dans la galerie qui menait au *Métis*.

– Sûrement devant nous, lui lança Jason. Allez, Julia, il ne faut pas traîner !

Julia haletait et avait du mal à suivre son frère dans le noir.

– Attention au trou, Jason !

– Je le vois. Il est éclairé par les lucioles.

Ils pouvaient en effet distinguer des lueurs phosphorescentes à l'endroit même où la roche se dérobait.

La jeune fille se retourna :

– Je n'entends pas Olivia et Manfred. Ni Rick, d'ailleurs.

– Vite, Julia !

Ils sautèrent par-dessus la faille et se remirent à courir.

– Je... ne... comprends... pas, fit-elle à bout de souffle. Où... sont-ils... passés ?

– Aucune idée !

Ils arrivèrent devant la trappe qui conduisait à la grotte souterraine. De nouveau, elle tendit l'oreille :

– Il n'y a personne derrière nous.

– Alors, Rick doit déjà être en bas.

– Tu crois qu'il ne nous a pas attendus ?

Jason désigna le toboggan à sa sœur :

– Descendons !

– Et Rick ? On n'est pas sûrs qu'il soit...

– On ne peut pas s'arrêter ici, Julia. On doit prendre le plus d'avance possible sur eux. On retrouvera Rick plus tard.

Ils s'assirent au bord de la cavité, puis Julia se laissa glisser sur la pierre polie, imitée par Jason.

À peine arrivés sur la plage, ils cherchèrent leur ami. Personne.

Les lucioles formaient une voûte céleste, et leurs lueurs vertes se reflétaient dans le miroir de la mer intérieure.

Le vaisseau du temps était là, amarré au ponton de bois, sa proue viking tournée vers l'autre crique.

– Mais où peut bien être Rick ? gémit Julia.

Jason remonta le ponton :

– Je n'en sais rien. Aide-moi plutôt à lever l'ancre !

– Sur les quatre deux iront à la mort et l'une des quatre mène en bas..., répéta Rick en cheminant à l'aveuglette dans une autre galerie. *Deux iront à la mort... À la mort...*

La devise passait et repassait en boucle dans sa tête, tel un disque rayé. Le garçon s'arrêta et inspira une grande bouffée d'air. Une fois calmé, il sonda l'obscurité.

Les voix d'Olivia et de Manfred s'étaient tues, les pas de Jason et de Julia s'étaient évanouis. Il régnait un silence oppressant.

Il était seul.

Dans le mauvais couloir.

Il ne s'était pourtant pas égaré. Lorsque la torche s'était éteinte, il avait délibérément choisi de suivre un des deux couloirs de la mort. Son calcul était simple : il espérait attirer Manfred et Olivia sur ses traces et éviter que les deux malfaiteurs prennent les jumeaux en filature... et découvrent le *Métis*. Il avait juste imaginé les mettre sur une mauvaise piste et pensait pouvoir faire demi-tour assez rapidement.

Mais, après avoir suivi les méandres du couloir sur plusieurs dizaines de mètres, il commençait à en douter.

Il avait perdu tout sens de l'orientation.

Que faire?

Le jeune homme ne se laissa pas démonter. Il se mit à quatre pattes et explora la galerie à tâtons.

Ses mains ne tardèrent pas à effleurer la paroi d'une grotte.

Il la suivit du bout des doigts jusqu'à ce que la roche s'efface et qu'il soit de nouveau privé de repères.

– Où est-ce que je dois aller... aller... allllller?

L'écho lui renvoya sa question. Il avait donc rejoint une cavité plus grande que le couloir qu'il venait d'emprunter. Mais de quelle taille exactement? Où avait-il abouti?

Un hurlement lui monta à la gorge. Il le réprima de toutes ses forces et rassembla son courage.

Il fixa les ténèbres et demanda à voix haute:

– Papa, guide-moi!

– Prenons cette direction! trancha Manfred.

Et il alluma un énième briquet.

– Pourquoi par là?

– J'ai cru voir de la lumière.

– Moi, j'ai entendu des pas dans l'autre couloir.

– Ils se sont séparés. Ils connaissent ces galeries.

La flamme s'éteignit.

– Pourquoi l'as-tu laissé s'enfuir?

– Ce sauvage m'a mordu la main.

– Tu veux que je te dise : tu es un bon à rien !

Manfred marmonna une réponse.

– Comment ?

– J'ai dit que je ne voulais pas entrer là-dedans. Je n'ai jamais voulu y aller et j'aurais mieux fait de ne pas vous suivre.

– On ne peut pas faire demi-tour, Manfred ?

– J'ai déjà vérifié. La porte est fermée.

– Tu as essayé de frapper ?

– Oui.

Manfred frotta un autre briquet :

– Je n'ai presque plus de réserve. Si on veut descendre, il faut se dépêcher.

– Tu es sûr que c'est le bon couloir ?

– Non.

– Et si on s'était trompés ?

– On verra bien...

Immobile dans le noir, Rick ferma les yeux pendant un long moment.

Lorsque enfin il les rouvrit, quelque chose attira son attention.

Il battit des paupières et écarquilla les yeux. Il n'était pas sûr d'avoir bien vu.

Un minuscule point vert clignotait et virevoltait à quelques mètres de lui, tel un grain de pollen transporté par le vent...

... ou une luciole.

Elle venait d'on ne sait où.

– Merci, papa, murmura Rick, ému aux larmes.

La présence de la luciole signifiait au moins une chose : la grotte du *Métis* ne devait pas être loin. Rick avait d'ailleurs l'impression d'entendre les vagues se briser sur les rochers.

Ayant retrouvé espoir, il se redressa et s'approcha du ver luisant qui semblait l'attendre, posé sur la roche.

Rick se pencha et le recueillit dans la paume de sa main. Puis, il le souleva au-dessus de sa tête. L'insecte prit son envol en vrombissant et Rick le suivit.

Ses faibles signaux lumineux éclairaient tout juste le bout du nez du garçon, qui se laissait guider sans penser à rien.

Il aurait été incapable de dire combien de temps il marcha. Mais, au bout d'un moment, il sentit les parois se resserrer autour de lui. Sous ses pieds, le sol était devenu plus lisse et régulier.

Puis il se mit à monter.

Il ne lâchait pas la luciole des yeux. Il avait compris qu'elle le conduisait loin du *Métis* mais cette tache phosphorescente était la seule chose qui le reliait à la vie.

Il chemina encore et encore jusqu'à ce que le minuscule insecte s'arrête sur une pierre.

Avant que Rick n'ait le temps de comprendre ce que le ver luisant était en train de faire, ce dernier s'était faufilé dans un trou.

– Non, attends ! cria-t-il. Où vas-tu ?

Il chercha désespérément à l'attraper mais il s'était tapi dans le recoin le plus reculé. Et son scintillement commençait à faiblir.

– Non, non ! gémit Rick, terrorisé à l'idée d'être replongé dans le noir.

Il s'appuya contre la pierre. Ce n'était pas une simple roche ; elle était travaillée par l'homme...

C'était en fait une immense sculpture, qui remplissait tout l'espace.

Le garçon explora son socle : ses doigts frôlèrent quelque chose, se redressèrent puis le caressèrent de nouveau.

C'était bien ce qu'il pensait.

Il avait sous la main un interrupteur électrique, un de ces vieux modèles en porcelaine ronds. D'une main tremblante, il le bascula et la lumière jaillit.

L'*Annabelle* regagna rapidement la plage de la baie aux Baleines. Les trois hommes hissèrent la barque sur la plage. Le visage graisseux, ils empestaient le poisson.

– Je ne sais pas comment vous remercier, fit Léonard en se tournant vers M. Covenant et Homer. Vous m'avez sauvé la vie.

– Nous n'y sommes pas pour grand-chose, dit le nouveau propriétaire de la Villa Argo. C'est Mlle Calypso qui nous a demandé de prendre la mer et qui nous a conduits jusqu'à vous.

Le colosse se retourna et serra la petite femme entre ses énormes bras musclés :

– J'ignore comment tu as fait, Calypso... Merci !

– J'en suis la première surprise, avoua-t-elle, mais je suis contente d'avoir réussi.

Homer et M. Covenant contemplaient la scène d'un air gêné. Ils se sentaient de trop.

– Hem, hem..., toussota le déménageur. Bon, je crois que je vais rentrer prendre une douche à l'auberge.

– Dites-moi, Homer, vous n'oubliez pas notre invitation à dîner, j'espère ? enchaîna M. Covenant. Écoutez, voilà ce que je vous propose : je vous dépose à l'auberge, vous vous changez et nous repartons très vite à la maison. Je ne voudrais pas trop tarder, ma femme doit s'inquiéter.

Léonard desserra son étreinte :

– Vous allez à la Villa Argo en voiture ?

– Léonard..., le sermonna la libraire.

– Oui. Voulez-vous que je vous y emmène ?

– Volontiers ! répondit Minaxo. Je dois aller voir Nestor.

– Léonard, laisse tomber ! s'énerva Calypso.

– Notre jardinier, vous voulez dire ?

– C'est ça. Savez-vous qu'il a une collection impressionnante d'herbes médicinales ?

M. Covenant haussa les épaules :

– Ah, oui ! Je l'ignorais. Eh bien, montez, je vous en prie !

Cahier :

CINQUIÈME

Titre :

LES INTRUS

Impression :

PETER DEDALUS

Chapitre :

28

CURIOSITAS
ANIMA MUNDI

MOORE

*L*es lucioles tapissaient les parois rocheuses, telles des graines d'étoile. Jason et Julia, debout sur le pont du *Métis*, scrutaient la grotte dans ses moindres renfoncements.

Jason tenait l'amarre, prêt à la laisser filer. Il n'arrivait pas à se décider. Rick n'était toujours pas là.

– À ton avis, qu'est-ce qui se passerait si..., commença Julia.

– Comment veux-tu que je le sache ? l'interrompit son frère, qui avait deviné sa question.

Le garçon ignorait en effet ce qui arriverait si quelqu'un restait dans la grotte après que sa sœur et lui auraient franchi la porte aux trois tortues.

Les jumeaux hésitèrent encore. Ils étaient très inquiets.

La mer et le vent semblaient calmes. Mais ce n'était qu'une apparence. Ils attendaient, impatients, les ordres du capitaine du navire pour se déchaîner.

Finalement, du bruit se fit entendre du côté du toboggan. Un corps atterrit en souplesse sur le sable et se releva aussitôt.

– Rick ! hurla Julia, en saisissant le bras de Jason.

Les lucioles se dispersèrent, tel un feu d'artifice. D'infimes vaguelettes vinrent lécher la plage.

La silhouette se mit à courir dans leur direction. Puis, un hurlement résonna. Une deuxième personne fut éjectée du toboggan et s'écrasa au sol.

Le sourire de Julia se figea à l'instant.

– Ce sont eux ! cria Jason.

Et il largua immédiatement les amarres.

– Allez, allez, mon vieux ! Bouge-toi ! ordonna-t-il au *Métis*.

Libéré de toute attache, le navire s'écarta de la jetée. Mais déjà les pas d'Olivia Newton martelaient les vieilles planches en bois.

Jason se précipita vers les deux gouvernails. Il saisit les poignées et essaya de faire pivoter le bateau sur lui-même.

Les pas se rapprochaient, de plus en plus rapides.

Le *Métis*, docile, obéit à son capitaine.

Boum !

Olivia venait de sauter à bord.

Agrippée à bout de bras au bastingage latéral, elle commença par glisser, avant de se cramponner de toutes ses forces.

– Descendez ! vociféra Julia en assénant des coups de rame sur les doigts de l'agent immobilier.

– Aïe ! brailla cette dernière. Sale gosse !

Sa deuxième main vint s'accrocher à son tour.

– Vous allez lâcher ! s'énerva Julia en frappant de plus en plus fort.

Jason s'escrima sur les timons et tenta de diriger la proue du *Métis* vers la porte sombre.

Il devait accélérer les choses et déclencher la tempête. Ainsi, espérait-il, les bourrasques de vent et la houle feraient-elles lâcher prise à Olivia.

Entre-temps, son chauffeur avait rejoint le ponton et regardait d'un air terrorisé le bateau chahuté par les flots. Il n'osait pas sauter.

La proue du *Métis* pointait dans la bonne direction.

– Au jardin du Prêtre Jean ! s'époumona Jason.

Une rafale de vent balaya la grotte et chassa les lucioles, qui partirent se réfugier dans les failles de la roche.

– Au jardin de l'éternelle jeunesse !

La proue du bateau se cabra.

Julia tomba à la renverse, et Olivia fut propulsée sur le pont.

La mer grondait et mugissait, tandis que le *Métis* filait parallèle au ponton.

– Manfred ! brailla Olivia. Monte ! Allez, mauviette !

L'homme restait figé, tétanisé par les éléments en furie.

Le bateau fit une embardée et se retrouva à moins d'un mètre de lui. Il vit sa patronne qui vociférait des ordres inaudibles sur le pont. Il aperçut l'odieuse gamine qui se débattait par terre et le petit morveux concentré sur le gouvernail.

Il réfléchit une dernière fois, pas téméraire.

Il recroisa le regard noir d'Olivia.

« C'est maintenant ou jamais », se dit-il.

Et il prit son élan.

Aveuglé par la lumière, Rick plissa les yeux, avant de mettre ses mains en visière.

Il faillit tomber à la renverse devant le spectacle qui s'offrait à lui.

Il se trouvait au pied d'un dragon en pierre sans ailes, qui le dominait du haut de ses cinq mètres. Sa gueule était grande ouverte mais il n'était pas en posture d'attaque. Il se tenait droit sur sa queue, les pattes légèrement inclinées en avant, comme en signe d'avertissement. C'était un dragon défenseur. Un gardien de trésors.

D'en bas, Rick avait l'impression de voir bouger ses piquants, mais l'animal était bel et bien figé en statue.

Le monstre n'était pas seul. Derrière lui, un pont voûté, étroit et long enjambait un gouffre obscur. D'autres sculptures représentant des animaux décoraient son parapet. Elles étaient mises en valeur par

les mêmes loupiotes blafardes que celles qui éclairaient les escaliers qu'il avait empruntés avec les jumeaux.

Rick, encore un peu étourdi, fit quelques pas. Sur l'autre rive, une baleine, la nageoire caudale en l'air, faisait face au dragon. Le garçon distingua ensuite un singe avec une longue queue entortillée, un renard au museau effilé...

– Et un varan..., sourit-il en reconnaissant les autres figures : un chat, un ornithorynque, un cheval.

Un uraète au bec crochu. Un lion couché dans la position du sphinx. Un mammouth aux longues défenses incurvées.

Tous étaient représentés sur les anneaux des onze clefs du temps.

Rick s'aventura sur le pont et se pencha par-dessus bord. Sous ses pieds s'ouvrait un abîme impénétrable.

Le garçon remonta doucement la travée.

Son cœur tambourinait dans sa poitrine, rythmant ses pas.

Il sentait une présence invisible à ses côtés et plusieurs paires d'yeux rivés sur lui.

Mais il n'avait pas peur. L'endroit n'avait rien de terrifiant.

Il s'inclina révérencieusement devant chaque animal et, aussi curieux que cela puisse paraître, il eut l'impression que les statues répondaient à ses salutations.

Son intuition lui dit que les spectateurs invisibles qui l'observaient et le jugeaient étaient satisfaits de cette marque de respect.

Rick était serein. Il savait que, parmi eux, se trouvait son père.

Sous la forme d'une luciole éteinte, posée sur les épaules du dragon.

Arrivé au bout du pont, Rick se heurta à un imposant portail. L'inscription gravée sur le linteau lui rappela quelque chose : *Curiositas anima mundi*, la devise des Moore.

À travers la grille se diffusait une lumière bleutée. Le jeune rouquin réalisa qu'il était à l'autre extrémité du couloir pavé de pierres blanches entraperçu avec Jason et Julia quelques heures plus tôt.

– Le mausolée ! susurra-t-il.

Immobile sur le seuil du caveau de la famille Moore, le garçon de Kilmore Cove saisit enfin le véritable sens du message trouvé dans le colis postal. *Sur les quatre deux iront à la mort*. Contrairement à ce

qu'il avait toujours cru, cela signifiait selon toute vraisemblance que deux issues de la pièce circulaire conduisaient aux tombes des ancêtres des Moore.

Rick tenta de reconstituer mentalement le plan des grottes de la falaise. C'était un labyrinthe souterrain qui permettait de rejoindre depuis Salton Cliff le parc aux Tortues, et qui sait combien d'autres lieux encore, sans jamais avoir à refaire surface.

– Maintenant, papa, je comprends pourquoi personne n'a jamais vu l'ancien propriétaire... Il se déplaçait sous terre. Dans une grotte coupée du temps, là où ses aïeux avaient choisi de reposer pour l'éternité.

Rick attrapa les fins barreaux noirs et essaya de pousser le portail.

Le battant s'entrouvrit en grinçant.

Le garçon jeta un coup d'œil par-dessus son épaule. Il n'avait pas le choix, il ne pouvait plus reculer. Il s'engagea dans le couloir opalin, laissant derrière lui le pont et ses onze figures animales.

À peine avait-il quitté les lieux que les lampions s'éteignirent et la grotte sombra de nouveau dans le silence et l'obscurité.

Le corridor ne faisait pas plus de trois mètres de

long. L'air y était humide. Malgré une forte odeur de renfermé, il flottait un parfum fleuri et épicé.

Rick progressa prudemment, de peur de piétiner quelque chose, même si le sol du mausolée semblait avoir été nettoyé récemment.

La première tombe lui apparut au moment où il ne s'y attendait pas. Isolée, elle était encastrée dans le mur de droite. Un nom quasiment illisible était gravé sur la pierre : *Xavier Moore*.

L'ancêtre-souche.

Deux niches noires de suie la séparaient de la suivante, construite sur le même modèle.

Rick avala sa salive. Le dos plaqué contre la paroi opposée, il se laissa glisser le long de la galerie. Les dalles mortuaires étaient disposées par ordre chronologique croissant. On y retrouvait les noms de tous les ancêtres de la famille Moore figurant sur l'arbre généalogique de la bibliothèque. Les couples étaient enterrés l'un au-dessus de l'autre, les célibataires reposaient seuls dans leur coin. Entre les dalles, des niches étaient garnies de petits objets ou de bouquets de fleurs séchées.

Après avoir dépassé un tombeau vide, Rick s'arrêta devant la sépulture du premier couple qui lui était familier :

Raymond et Fiona Moore
Arrivèrent par la mer,
Désirèrent le jardin et la porte en pierre
Et ici s'installèrent.

Rick caressa le marbre. Il se sentit envahi par une étrange énergie. Voilà où était enterré l'homme qui avait entrepris la construction de ce dédale! Celui qui, le premier peut-être, avait étudié les portes et les clefs de Kilmore Cove. Qui avait édifié la Villa Argo et transformé une colline sauvage en jardin botanique.

– Merci! murmura Rick.

Il s'écarta et s'aperçut que des fleurs fraîches avaient été déposées sur la tombe de Raymond. Il les effleura avec égard et crainte puis scruta le couloir. Qui était descendu ici? Quand?

Il reprit son exploration, son cœur battait de plus en plus vite. Il passa devant la tombe de William Moore, le petit-fils de Raymond, qui avait achevé l'œuvre de son grand-père, avant de croiser une autre galerie.

Elle ressemblait beaucoup à celle qu'il venait d'emprunter. Il s'y engouffra. C'est là que se cachaient les sépultures les plus récentes. Rick accéléra la cadence. Plus il avançait, plus le parfum de fleur se confirmait. Il s'arrêta devant la tombe des anciens propriétaires de la villa.

Celle de Pénélope, dépourvue de pierre tombale, était ouverte. Nulle trace de cercueil mais des centaines de fleurs au milieu desquelles dépassait une toile. Rick n'eut pas le courage de s'approcher pour la toucher mais reconnut immédiatement ces couleurs : c'étaient les mêmes pastels que ceux qu'il avait vus dans le grenier de la Villa Argo.

Quant à la tombe d'Ulysse, elle était vide.

– Je le savais, fit Rick, le souffle coupé.

Choqué, il dut s'appuyer contre le mur opposé.

« Vides, deux tombes vides ! » se répéta-t-il.

Il se remémora les paroles du père Phénix ainsi que celles de Fred Doredebout et bien d'autres encore.

Il revint sur ses pas, sans réussir à détourner les yeux des fleurs multicolores qui garnissaient la tombe de Pénélope.

C'est alors qu'il s'aperçut que deux marguerites égayaient les niches des tombes situées juste avant celles des anciens propriétaires. L'épitaphe précisait :

Annabelle Moore
1929-1947
Morte en couches

John Joyce Moore
1921-1996
Vécut à Venise
et par une autre route rentra.

– John Joyce Moore…, chuchota Rick, incrédule.

Il venait de trouver un autre morceau manquant du puzzle.

Il avait découvert l'identité de celui qui avait choisi de rester à Venise à la place de Pénélope : le père d'Ulysse en personne.

Pris d'un soudain élan, le garçon traversa le couloir en trombe. Il déboucha dans une vaste salle ronde. De là partait un escalier. Il grimpa les marches quatre à quatre et se retrouva à l'intérieur du petit temple du parc aux Tortues.

Il chercha désespérément un moyen d'ouvrir la lourde porte.

– Je veux sortir ! s'énerva-t-il.

Il saisit la serrure et secoua le battant de toutes ses forces.

À force de s'acharner, il parvint à faire céder le bois.

Rick courut dans le parc et respira à pleins poumons. Il retrouva son calme petit à petit.

Le ciel était parsemé d'étoiles. La mer aux reflets argentés semblait ressasser les souvenirs du jour. Là-bas, à Kilmore Cove, les lumières électriques brillaient, telles des centaines de lucioles. Et une voiture remontait la route de la falaise de Salton Cliff.

– Je suis Rick Banner, déclama le jeune homme. Banner. Je ne suis pas un Moore et tant mieux !

Il se retourna vers les colonnes blanches :

– Nous, les Banner, nous sommes des gens simples. Des personnes sincères. On n'a pas de secret, on ne ment pas.

Il pointa du doigt le mausolée puis la villa surplombant la baie :

– Je veux savoir où tu te caches, Ulysse ! Dis-le-moi ! Montre-moi ton visage ! C'est vital, tu comprends ? Tu ne peux pas continuer ce petit jeu : les énigmes, les couloirs, les mausolées, les carnets, les clefs... Ça suffit, j'en ai assez ! Je dois tout savoir ! Maintenant ! Il y a Jason et Julia là en bas... et Olivia et Manfred ! Ulysse ! Tu vas oser sortir, oui ou non ?

Seul le silence lui répondit.

– Tu n'es qu'un lâche ! Un lâche, oui ! Je suis beaucoup plus courageux que toi ! Je suis un Banner !

Il fit volte-face.

Les branches des arbres s'étaient mises à frémir.
Une ombre avait bougé dans les sous-bois.

Rick prit ses jambes à son cou et fila en direction
de la Villa Argo.

Peter Dedalus

Cahier :

CINQUIÈME

Titre :

LES GARDIENS
DU TEMPS

Impression :

PETER DEDALUS

Chapitre :

29

*P*eter Dedalus amarra sa gondole à pédales le long du canal Santa Marina. Il remonta la rive gauche à pied et s'arrêta devant une porte cochère rehaussée d'un motif floral en forme de « C ». Il lança le heurtoir en bronze contre le bois.

Au bout de quelques secondes, une voix féminine jeune et enjouée demanda :

– Qui est là ?

– Peter Dedalus.

Un chien jappait de l'autre côté du battant.

– Couché, Diogo ! Couché ! ordonna Rossella Caller. Je n'entends rien !

Peter répéta son nom.

La porte s'entrebâilla et un bâtard au pelage marron s'échappa. Il se précipita sur l'horloger et lui sauta dessus en remuant la queue.

– Peter Dedalus ? réagit Mme Caller, surprise. Vous voulez dire le Peter de l'île aux Masques ?

– Lui-même, madame, répondit le petit homme en s'inclinant. Excusez-moi de vous déranger, mais...

– Qui est-ce, ma chérie ? s'enquit Alberto Caller en faisant irruption.

Peter se représenta.

– Je suppose que vous cherchez les enfants..., commença Rossella aussitôt sévèrement réprimandée par un regard de son mari.

– Quel est le motif de votre visite, monsieur ? l'apostropha sèchement M. Caller. Qui voulez-vous voir exactement : moi, ma femme ou des amis de notre famille ?

Peter se frotta les mains :

– Voilà ! Je vais aller droit au but...

Il fixa Alberto dans les yeux :

– Si je ne m'abuse, vous possédez encore une vieille presse d'imprimerie.

Alberto Caller pâlit : à Venise, l'imprimerie était une activité dangereuse, soumise aux contrôles de la redoutable police secrète. Il était en effet interdit de publier certains ouvrages.

– Vous devez faire erreur, monsieur.

Peter Dedalus secoua la tête :

– Écoutez, je ne suis pas un indicateur[1]. J'ai juste besoin de me servir de cette machine.

– Je crois que vous m'avez mal compris : vous vous trompez de maison.

– Je sais qu'elle est ici. C'est moi qui l'ai construite et vous seriez très aimable de bien vouloir me laisser l'utiliser.

----

1. Nom donné aux membres de la police secrète vénitienne au service du Conseil des Dix.

Fred Doredebout était épuisé. La journée avait été rude, et il avait encore beaucoup de travail. Il était repassé à la mairie pour vérifier qu'aucun dossier important ne l'attendait et avait trouvé sur son bureau une pile de trente centimètres de haut avec ce message : « Où étais-tu passé ? J'en ai besoin pour demain matin ! »

Le fonctionnaire soupira. Il n'avait pas le choix : lui seul à Kilmore Cove savait utiliser la Vieille Chouette, la presse qui imprimait les documents officiels de la commune. Il jeta un coup d'œil sur les certificats à délivrer d'urgence et retroussa ses manches, fermement décidé à en finir au plus vite. Il ouvrit le tiroir de l'armoire, choisit les fiches perforées qu'il lui fallait, entra dans la salle des machines et introduisit les feuilles blanches dans la fente de la Vieille Chouette.

Les multiples engrenages et tapis roulants se mirent en route dans un vacarme assourdissant, et le monstre noir alla pêcher dans ses archives les données que Fred réclamait, avant de recracher des rapports détaillés.

Cette machine conçue par Peter Dedalus avait le mérite d'être rapide et d'une fiabilité à toute épreuve.

Fred rattrapa son retard en moins d'une heure.

Tout en sifflotant, il rangea les fiches, classa les papiers dans différentes pochettes et se prépara. Il était partagé entre l'envie de rentrer chez lui et la tentation de faire un détour par la taverne pour raconter à ses amis cette histoire de locomotive.

Il était en train de fermer la porte de son bureau, lorsqu'il se rendit compte que la Vieille Chouette ne s'était pas arrêtée. Ses rouages s'étaient remis à grincer et il entendait désormais son cliquetis reconnaissable entre mille.

Fred s'inquiéta : avait-il oublié un document ? Il avait pourtant vérifié deux fois la liste des actes à produire et avait tout imprimé.

Il revint sur ses pas sans prendre la peine de rallumer et s'approcha de la Vieille Chouette : un papier venait effectivement d'être éjecté.

Il ne ressemblait pas aux certificats habituels. C'était une lettre accompagnée d'une feuille pliée en quatre.

Fred récupéra la missive et lut :

Salut, Fred.
J'ai un service à te ?emander.
Je suis Peter ?edalus, l'h0rl0ger.
Je t'écris en me servant ?'une vieille f0ncti0n de trans-mission, ce qui peut entraîner quelques fautes de frappe.

N'y prête pas attenti0n, c'est la première f0is que je l'utilise.

J'aimerais que tu p0rtes le ?0cument ci-j0int à la Villa Arg0. À Nest0r, le jardinier, plus précisément.

J'espère que cela ne t'embête pas.

C'est très urgent.

Je t'en suis sincèrement rec0nnaissant.

Peter

Cahier :

CINQU

Titre :

LE CLOÎTRE

Impression :	Chapitre :
PETER DEDALUS	**30**

*L*orsque enfin la tempête s'apaisa dans la grotte, Jason s'écroula sur le gouvernail, épuisé. Julia était étendue sur le pont.

Le garçon courut rejoindre sa sœur. Il inspecta d'un coup d'œil rapide le *Métis* : il n'y avait apparemment personne d'autre.

– Julia ! Ça va ?

La jeune fille ouvrit les yeux :

– Est-ce qu'ils sont là ?

Au même moment, un corps tomba dans l'eau et une voix d'homme jura :

– Maudit rafiot ! J'y étais presque !

Jason se mordit les lèvres :

– Je crois que ça répond à ta question.

Les jumeaux gagnèrent le flanc du navire. Manfred s'extirpait péniblement de l'eau. Il avait effectué la traversée de la mer intérieure agrippé au bastingage et, à quelques mètres du rivage, avait lâché prise. Olivia était déjà postée devant la porte aux trois tortues.

– Salut, les petits morveux ! les nargua-t-elle.

Julia aurait voulu sauter à terre, mais Jason la retint par le bras :

– Laisse ! On ne peut plus rien faire, il est trop tard.

Ils regardèrent Manfred rejoindre sa patronne, dégoulinant et furibond.

– Il y a peut-être bien un moyen..., chuchota Julia. Écoute, si on s'arrange pour rentrer avec les deux premières personnes que nous croisons de l'autre côté, Olivia et Manfred resteront enfermés pour toujours au-delà de la porte du temps.

– Je te signale qu'ils peuvent nous faire le même coup.

Les jumeaux restèrent sur le bateau, tandis qu'Olivia poussait le battant.

– Ouh ! Mais c'est magnifique ! s'exclama-t-elle en passant la tête dans l'ouverture. Bon courage pour retrouver la Première Clef, les enfants ! Bonne chasse au trésor !

– Rira bien qui rira le dernier !

– Ah oui ? Vous voulez que je vous rafraîchisse la mémoire ? Qui, au final, est rentré du Pays de Pount avec la carte de Kilmore Cove ?

Jason serra les poings de rage.

– Attendons qu'ils s'en aillent, décida sa sœur.

Olivia disparut dans l'entrebâillement. Manfred, en revanche, se tourna une dernière fois vers les jumeaux et les foudroya du regard. Puis il jeta son sac sur son épaule, cala ses lunettes de soleil rafistolées sur son nez et suivit le même chemin.

De nouveau seuls, les jumeaux se consultèrent :

– Je suis crevée, Jason. On a couru toute la journée et on ne sait même pas ce qui se cache exactement derrière cette porte.

Heureusement, le jeune garçon avait emporté le carnet de voyage d'Ulysse Moore.

– D'après les notes et les croquis, c'est un mélange de paradis terrestre et de château fort, fit-il en le feuilletant.

– Conclusion ?

– À mon avis, on ferait bien d'aller voir à quoi ça ressemble.

– Et Rick ?

– Je ne sais pas quoi te dire, Julia. J'ai le pressentiment que, cette fois, on ne sera que tous les deux.

Julia soupira. Elle était à bout de forces et avait peur. Son frère lui tapota sur l'épaule :

– Allez, petite sœur ! On peut y arriver ! Ce n'est pas compliqué : il suffit d'ouvrir cette porte, de trouver Black Volcano et de rentrer avant Olivia.

À contrecœur, Julia imita son frère. Ils sautèrent à terre et montèrent les marches recouvertes d'algues et de coquillages.

– J'espère au moins que vous portez chance..., murmura Jason en levant les yeux vers les trois tortues gravées sur le linteau de pierre.

Et il poussa le battant.

– Tu me suis, Julia ?

– Oui, oui, je suis là !

Les jumeaux débouchèrent sous une arcade ornée d'une guirlande de fleurs sculptées. Ils avaient abouti dans un cloître. De petites colonnes blanches encadraient un jardin intérieur, au centre duquel coulait une fontaine jaillissante. Le ruissellement de l'eau ne parvenait pas à masquer des éclats de voix dans la galerie opposée. En effet, un petit groupe de personnes tournaient le dos aux enfants. Jason fit signe à Julia de se cacher derrière les colonnes.

Une vingtaine de soldats vêtus de tuniques et de cagoules en cotte de mailles enserraient deux individus et pointaient leurs lances acérées dans leur direction.

– Vous vous trompez, je vous répète ! braillait Olivia Newton encerclée de toutes parts.

Manfred était étendu par terre, ses lunettes de soleil brisées.

– Il n'y a pas d'erreur, chef ! expliqua l'un des gardes à son supérieur. On vient de surprendre ces étrangers dans le cloître.

– Je vais tout vous expliquer ! cria Olivia.

– Emmenez-les au cachot ! tonna le supérieur.

Jason et Julia échangèrent un regard complice :

– On a bien fait de les laisser partir en premier !

Tandis que les soldats escortaient *manu militari* Olivia et son chauffeur jusqu'aux oubliettes, les enfants entreprirent de longer le cloître, à la recherche d'une autre issue.

Bientôt, ils se retrouvèrent plongés dans la pénombre. Ils finirent par croiser un escalier dont les marches se perdaient dans le noir.

– Où va-t-on ? demanda Jason.

Peter Dedalus

NQUIÈME

LA VÉRITÉ

ssion :

DEDALUS

Chapitre :

31

*L*a voiture de M. Covenant était garée depuis peu dans la cour de la Villa Argo, quand Rick franchit le portail de la propriété. Il se dirigea d'un pas décidé vers la dépendance.

La lumière était allumée. Il gravit les deux marches du perron et frappa énergiquement à la porte.

Ce fut Léonard Minaxo qui lui ouvrit. Il était enveloppé dans un peignoir de bain, les cheveux trempés et plaqués en arrière.

– Qu'est-ce que tu fais là ?

– Je pourrais vous retourner la question, répondit Rick. Nestor est là ?

Le jardinier arriva clopin-clopant :

– Ah, Rick, c'est toi ! Entre donc ! Léonard et moi étions en train de... bavarder.

Il fit signe à Léonard de s'écarter et invita le garçon à s'asseoir :

– Et Jason et Julia, où sont-ils ?

– Ils sont passés de l'autre côté, dit Rick.

Nestor devint blanc comme un linge :

– Comment ? À cette heure ? Mais leurs parents vont se douter de quelque chose !

– Ils ne sont pas partis seuls..., ajouta Rick.

– Qu'est-ce que tu veux dire ?

Le jardinier chercha un fauteuil et s'assit. Léonard s'appuya contre le lavabo encastré dans le mur.

– Mais tu es en sueur, Rick! fit remarquer le gardien.

– J'ai couru jusqu'ici.

Le garçon se tourna de nouveau vers Nestor. Dans ses yeux se lisait une haine farouche. Un besoin pressant de savoir :

– Olivia et Manfred les ont suivis.

Nestor ouvrit la bouche puis la referma. Il serra les poings de rage.

– Ils étaient dans la tourelle, poursuivit Rick. Ils nous ont surpris par-derrière et nous ont forcés à ouvrir la Porte du Temps.

Le vieux jardinier se taisait. Il se contentait de secouer la tête de gauche à droite.

Léonard frappa du poing sur le lavabo :

– Il ne manquait plus que ça ! Mais comment ont-ils réussi à s'introduire dans la maison ?

– On s'est posé la même question.

– Mme Covenant était pourtant là. Elle n'a pas bougé, non ? lança Léonard à Nestor.

– La coiffeuse ! Mais, oui, bien sûr ! s'exclama Nestor. Ils sont arrivés avec elle. Suis-je donc bête ?! Gwendoline Mainoff est venue avec un apprenti.

– Manfred, à tous les coups ! devina Rick.

– Olivia devait être cachée dans la voiture. Je... je n'ai pas pensé à vérifier.

Nestor s'adressa à Rick :

– Mais, au fait, pourquoi n'es-tu pas avec eux ?

– Je me suis enfui... par un des couloirs de la mort.

– Et les jumeaux ?

– Je n'en sais rien. Je crois qu'ils ont réussi à rejoindre le *Métis*.

– Et Oli...

– Je l'ignore.

Nestor se leva. Il se posta derrière la vitre et regarda les fenêtres éclairées de la grande maison :

– Il faut prévenir les Covenant.

Rick attendit qu'un des deux hommes se décide à parler. Au bout de quelques secondes, il finit par rompre le silence :

– Vous savez parfaitement ce qui se cache sous la falaise. Vous êtes au courant pour les grottes, le train de l'éternelle jeunesse, les toboggans... Le jardin.

Aucune réponse.

– Et vous savez par où je suis passé pour sortir, hein ?

– Tu as traversé le pont ? l'interrogea Léonard.

– Oui, et j'ai vu les fleurs.

Les deux hommes échangèrent des regards inquiets.

– Qui les a apportées ?

Silence.

– Lequel d'entre vous est Ulysse Moore ?

– Rick…, commença Léonard mais il ne termina pas sa phrase.

– J'en ai assez, maintenant! s'emporta le garçon. Je dois connaître la vérité! J'ai découvert que le père d'Ulysse a pris la place de Pénélope à Venise pour lui permettre d'épouser son fils. La tombe de Pénélope est vide. Et celle d'Ulysse aussi! Pourquoi? Vous allez me le dire, oui ou non?!

Nestor s'approcha du canapé, se baissa et récupéra une vieille toile enroulée.

– Je vous signale que Jason et Julia sont en bas, avec Olivia, se lamenta Rick. Je ne sais plus quoi faire!

– S'ils ont embarqué sur le *Métis*, la porte est bloquée, n'est-ce pas Nestor? demanda Léonard.

Rick posa ses yeux embués sur le vieux jardinier.

– Qui de vous deux est Ulysse Moore? répéta-t-il.

Nestor boita jusqu'à la table et déroula la toile sans un mot.

Rick contempla le visage qui y était immortalisé. La toile avait été visiblement arrachée sans ménagement de son cadre et restaurée par la suite.

– C'est le portrait qui manque dans la montée d'escalier?

– Oui, confirma Léonard.

Rick passa le doigt sur le nom qui avait été peint dans un angle.

Ulysse Moore.

– C'est donc vous ! murmura le jeune rouquin.

La conversation fut interrompue par des coups répétés à la porte. Nestor s'empressa d'enrouler le portrait, pendant que Léonard allait ouvrir.

C'était Fred Doredebout.

– Hé, Fred ! s'exclama le gardien du phare. Quel bon vent t'amène ?

– J'ai... j'ai un message pour... Nestor ! expliqua-t-il, essoufflé.

–Un message? De la part de qui?

Fred agita la feuille fraîchement imprimée et annonça :

–De... Peter Dedalus !

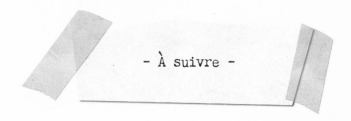

- À suivre -

Avis au lecteur

Cher lecteur,

Le mystère de la disparition de notre collaborateur s'épaissit. Juste avant d'imprimer ce tome, nous avons en effet reçu la lettre suivante affranchie avec un timbre de Kilmore Cove. D'après le cachet, elle aurait été postée là-bas il y a dix-sept jours...

Cher Ulysse,

J'ai fait croire à Olivia Newton
que Black VOlcanO a trouvé la
Première Clé et l'a empOrtée avec lui
dans le jar ?in ?u Prêtre Jean.
Je lui ai menti, espérant ainsi
la mettre définitivement hOrs jeu.
J'ai été tenté ?e rentrer à Kilmore
Cove à la place d'Olivia, mais j'y ai
renoncé : comme tu sais, il y a ici,
à Venise, trop ?e chOses qu'il vaut
mieux qu'elle ne ?écOuvre jamais.
Je ne sais pas si la pOrte de la
Villa ArgO est Ouverte et si tu as
encOre les clés. Si tel est le cas,
fais en sOrte qu'Olivia reparte.
J'ai prévenu Black ?e sOn arrivée.
Il saura cOmment l'arrêter.

Affectueusement,

Peter ?e?alus

INTÉRESSANT, VOUS NE TROUVEZ PAS ?

- Table des matières -

1. La baie aux Baleines 11

2. Mauvaises rencontres 17

3. Le casse-tête 31

4. Dans le bureau du proviseur 41

5. Une fièvre de cheval 49

6. Petit matin à Venise 55

7. Sortie des classes 63

8. La cachette 73

9. Déjeuner à la Villa Argo 79

10. Recherches à la bibliothèque 89

11. Confessions intimes 101

12. L'invité de passage 113

13. Les Ailerons de requin 131

14. À pile ou face 139

15. La gare 147

16. Le plan 159

17. Le réparateur 169

18. À la vitesse d'un éclair 191

19. À la recherche du train CLIO 1974 207

20. Par quarante-six mètres de fond 217

21. La grotte 227

22. Allées et venues 237

23. Le mystérieux inconnu 247

24. Des coups répétés 257

25. La porte du jardin 263

26. Le noyé 273

27. Le couloir de la mort 283

28. Les intrus 297

29. Les gardiens du temps 311

30. Le cloître 317

31. La vérité 323

ULYSSE MOORE

1 - LES CLEFS DU TEMPS

Kilmore Cove, Cornouailles. Jason et Julia ont quitté Londres pour emménager dans la Villa Argo, une immense maison construite sur la falaise et gardée par Nestor, un vieux jardinier peu bavard... Jason et Julia, accompagnés de Rick, décident d'explorer les lieux... Et découvrent une porte à quatre serrures. Mais, curieusement, aucune clef ne peut les ouvrir. Qu'y a-t-il de l'autre côté ? Ainsi commence une chasse au trésor palpitante. Les enfants embarquent à bord d'un bateau magique, caché dans la falaise, traversent une mer intérieure et trouvent une nouvelle porte. Là, une surprise de taille les attend...

LA BOUTIQUE
DES CARTES PERDUES

Égypte pharaonique, Pays de Pount. Jason, Julia et Rick ont franchi la Porte du Temps. Ils se retrouvent dans la Maison de Vie, une gigantesque bibliothèque aux allures de labyrinthe dans laquelle sont conservés des papyrus, des parchemins et des tablettes provenant des quatre coins du monde antique. Cette fois, les trois aventuriers sont à la recherche d'une carte mystérieuse. Seul l'étrange propriétaire de la boutique des cartes perdues connaît l'indice qui les mettra sur la piste...

3 - LA MAISON AUX MIROIRS

À Kilmore Cove, il se passe des choses bizarres : la statue sur la place représente un roi qui n'a jamais existé, les rails du train n'aboutissent nulle part et aucun panneau indicateur ne signale l'entrée ou la sortie du village. Tout porte à croire que le village a été gommé des cartes, comme si l'on avait cherché à préserver un secret. Cette fois-ci, Jason, Julia et Rick vont enquêter dans les environs, notamment dans la Maison aux miroirs, la mystérieuse demeure de Peter Dedalus, un inventeur de génie disparu depuis des années sans laisser de trace. En apparence, tout du moins...

4- L'ÎLE AUX MASQUES

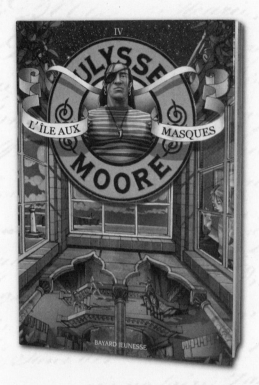

Jason, Julia et Rick embarquent pour de nouvelles aventures...
Direction : la Venise du XVIIIe siècle ! Ils sont à la recherche de Peter
Dedalus, l'horloger de Kilmore Cove. Lui seul connaît le moyen de
contrôler toutes les portes du temps. L'inventeur a franchi la porte
de la Maison aux miroirs et se cache quelque part dans la cité
des Doges. Les trois enfants doivent faire vite : l'impitoyable
Olivia Newton est déjà en route... Avant toute chose, il leur faudra
découvrir la véritable identité du mystérieux Gondolier Noir dont
personne ne semble avoir entendu parler...

Mis en pages par DV Arts Graphiques à La Rochelle,
cet ouvrage a été achevé d'imprimer
en juin 2008
par Legoprint à Trente
pour le compte des Éditions Bayard

Imprimé en Italie